Leben Lieben Erben

Roman

von Dorothea Neukirchen

1. Auflage, 2022

Herstellung und Verlag: BoD – Books on Demand, Norderstedt
ISBN: 9783756821440

Lektorat: Dr. Werner Irro
Korrektorat: Annegret Linde, Wolfgang Menzel
Layout: Felix Rist
Coveridee: Raphael Hamm
Covergestaltung: Felix Rist
Coverfotos: iStockphoto
Autorenfoto: Heike Steinweg

Buchbeschreibung:

1979. Alix steht kurz vor ihrem dreißigsten Geburtstag, als ihre Erbtante stirbt. Während altes Familienmisstrauen zu neuen Komplikationen führt, kämpft sie im männlich dominierten Fernsehsender um ihr Überleben als Filmemacherin. Ein Glück, dass Didi, ihre große Liebe, hinter ihr steht...

Zur Autorin:

Dorothea Neukirchen begann als Schauspielerin, TV-Moderatorin und Filmregisseurin. Bevor sie sich der Prosa zuwandte, verfasste sie Drehbücher. Leben Lieben Erben ist ihr dritter Roman. Drei ihrer Kurzgeschichten wurden mit Preisen ausgezeichnet. Sie hat drei Enkelkinder und wohnt seit zehn Jahren am Bodensee. www.dorothea-neukirchen.de

Dorothea Neukirchen

LEBEN LIEBEN ERBEN

Roman

Ruhrgebiet 1979

Alix sitzt hinten im Kamerawagen und versucht, gegen die Fußballgespräche der Männer anzudenken. Sie ist durcheinander. Der Tod ihrer Tante nimmt sie mehr mit, als sie gedacht hätte.

Gestern Abend, als der Anruf kam, hatte sie es sich mit Didi auf dem Sofa bequem gemacht. Sie saß auf ihrem Lieblingsplatz zwischen seinen Beinen, den Kopf an seine Brust gelehnt, und sah mit ihm zusammen die *Tagesschau.* Sie zeigte Bilder von Gedenkfeiern zum 1. September 1939. Vierzig Jahre war es her, dass Hitlers Truppen in Polen eingefallen waren. Und genau diesen Tag hat Tante Alexandra sich für ihr Sterben ausgesucht! Ein normales Datum hätte es nicht getan, nicht bei ihr. Bei Tante Axel musste immer alles ein bisschen größer sein. Sie war glamourös und mutig.

Zumindest früher, als sie jung war.

Alix fährt sich durch ihre mit Henna gefärbten Haare. Sie sollte jetzt nicht an die Tante denken, sondern an die vor ihr liegende Aufgabe. Die ist schwierig genug. Ein Filmbericht über ein unsichtbares Kunstwerk. Was in aller Welt soll sie da zeigen? Es gibt nur ein einziges Foto von den weißen Querkreuzen, die der Künstler

aufgestellt hat, achthundert Meter unter der Erde, in einem Stollen, der kurz danach auf ewig verschlossen wurde. Wie soll sie mit einem Foto zwei Minuten dreißig im Fernsehen füllen?
Draußen ziehen Schlote und Fördertürme vorbei. Wahrscheinlich sind die Kreuze inzwischen gar nicht mehr weiß, sondern schwarz vom Kohlestaub. Aber das kann niemand überprüfen. Der Pütt ist zu. Die Grube ist verfüllt. Und interviewen kann sie den Künstler auch nicht mehr, er ist gestorben. Schon wieder einer, der tot ist.
Bei Kriegsbeginn war Tante Axel auf dem Höhepunkt ihrer Schönheit. Sie war verlobt mit einem feschen Oberleutnant. Auf dem Hochzeitsfoto hat er ein kantig männliches Gesicht, hell leuchtende Augen unter einer Uniformmütze. Wie hieß er noch? Es fällt Alix nicht ein. Aber dass ihr Vater nicht gut auf den Schwager zu sprechen war, das weiß sie nur zu gut. *Geschniegelt und gebügelt, aalglatt,* war sein Diktum.
Die Ehen von Tante Axel waren kein Erfolg. Der erste Mann hat sie mit einer anderen Frau betrogen, der zweite mit dem Alkohol.

Es ist still geworden im Auto. Das Fußballthema ist anscheinend ausgereizt. Der Kameramann nimmt entspannt die Auffahrt zum so genannten Spaghetti-Kreuz. Kein Zögern, er kennt sich hier aus. Alix eher nicht. Sie hat sich hier schon ein paar Mal verfahren. Deswegen ist sie diesmal im Kamerawagen mitgefahren. So kann sie sich entspannen und ihre Gedanken schweifen lassen.

Als Tante Axel monatelang durch Afrika reiste, Anfang der Fünfziger, da hat Ehemann Nummer eins noch gelebt. Aber er war nicht mit in Afrika. Sie ist alleine gereist, hat die Fotos an eine Illustrierte verkauft. Ihr Reisebericht erschien zwischen Einrichtungstipps für die Hausfrau und einem Rezept für Toast mit Schinken und Ananas. Als Kind war Alix unbändig stolz auf ihre Tante. Als Erwachsene hat sie ihr leid getan. Mit Ehemann Nummer zwei hat sich die vormals unternehmunglustige Tante in den Bergen verkrochen und traute sich nicht einmal mehr nach München zu fahren, in diese *Metropole des Verbrechens.*

War das schon vor dem Schlaganfall so oder erst danach? Alix denkt mit schlechtem Gewissen an die wenigen, qualvollen Telefonate. Die Worte der Tante kamen verknäuelt durch die Leitung. Die Traumtante war zum Schreckensbild mutiert. Und nun war sie Erbtante. Tante Alexandra hatte keine eigenen Kinder, nur eine Nichte und einen Neffen: Carl, den Sohn des älteren, bereits verstorbenen Bruders. Er war es, der sie angerufen hat. Und sie hat dann ihren Vater benachrichtigt.

"Du musst dahin fahren, sofort, stante pede!" war seine Reaktion. So ein Blödsinn! Wie stellt er sich das vor? Als Freiberuflerin kann sie Aufträge nicht einfach ablehnen, schon gar nicht, wenn sie sie bereits angenommen hat. Außerdem sieht sie gar nicht ein, warum sie *stante pede* dahin fahren soll. Was soll sie denn tun, wenn sie da ist?

Aufpassen soll sie, damit sie nicht übers Ohr gehauen wird, hat der Vater gesagt. Aber wie? Wie vermeidet man, bei einer Erbschaft übers Ohr gehauen zu werden? Außerdem braucht sie gar keine Erbschaft, sie ist stolz darauf, ihr Geld selber zu verdienen.

Sie müssten bald da sein. Alix sieht auf die Uhr. In zwanzig Minuten sind sie mit einem Freund des toten Künstlers verabredet. Wenn sie Glück hat, sagt der etwas Verwendbares. Auf jeden Fall wird es einen langsamen Schwenk geben, von einem Förderturm auf ein abstraktes Stück Erde. Dazu einen Kommentar, der die im Untergrund verschwundenen Kreuze mit dem Zechensterben und dem Strukturwandel im Ruhrgebiet in Verbindung bringt. Nichts bleibt, wie es ist. Was gestern war, ist heute unsichtbar...

Allzu philosophisch sollte sie allerdings nicht werden. Es muss leicht verdaulich bleiben. *Hierzulande-Heutzutage* ist eine Abendbrotsendung.

Alix Blick fällt auf die speckigen Haarsträhnen des Mannes am Steuer. Eigentlich wollte sie nie wieder mit diesem Macho zusammenarbeiten. Ihr letzter gemeinsamer Dreh war eine halbstündige Reportage über eine Selbsterfahrungsgruppe. Sie filmten eine Übung zum Aggressionsabbau. Die Gruppenmitglieder sollten ihren Frust mit weichen Schlaghölzern abreagieren und aufeinander losgehen. Nicht vorgesehen war, dass der Kameramann beschloss, seinen eigenen Frust abzubauen. Als Alix sich in ihrer Eigenschaft als Regisseurin erlaubte, seine Kameraposition zu korrigieren, griff er sich eins der Schaumstoffdinger und hieb damit auf sie ein. Der Assistent ging dazwischen, und später versuchte Alix, den Zwischenfall als Scherz zu deklarieren. Aber der hasserfüllte Blick, der sie traf, der war nicht scherzhaft.

Sie bat dann beim Sender darum, nicht mehr mit diesem Kameramann zusammenarbeiten zu müssen. Das funktioniert auch, aber nur bei längeren Filmen. Bei Zwei-dreißig-Beiträgen gibt es keine Sonderwünsche, da wird eingesetzt, wer gerade Bereitschaft hat. Und so sitzt Alix nun mit diesem beleidigten Frauenhasser in einem Auto. Das hat sie jetzt davon, dass sie Angst davor hatte, sich in dem verdammten Ruhrgebiet zu verfahren.

Sie nähern sich dem Ziel. Es geht runter von der Schnellstraße. Alix hält Ausschau nach dem großen U der Dortmunder Brauerei. Aber das ist anscheinend

woanders. Egal. Sie kann sich den Weg sowieso nicht merken, will es auch gar nicht.
Immer hoch hinaus, ganz wie die Alexandra!
Ihre Eltern waren nicht begeistert, als sie Film studieren wollte. Ja, hätte sie sich nach ihrer Mutter richten sollen, und eine graumäusige Hausfrau werden?! Da war Tante Alex schon ein besseres Vorbild.
Alix seufzt, ohne es zu merken.
"Schlecht geschlafen?", fragt der Kameramann.
"Nee, meine Tante ist gestorben."
"Der ist gut."
Die Männer lachen über den vermeintlichen Witz.
Entspannung, immerhin. Alix nutzt sie, um die Männer über den bevorstehenden Dreh zu informieren und sie für den Künstler mit seiner unsichtbaren Kunst zu erwärmen.
"Es handelt sich um Konzeptkunst. Der Künstler entzieht seine Werke der Öffentlichkeit, wenn sie fertig sind. Damit thematisiert er das Vergängliche und..."
"Schon gut", unterbricht sie der Kameramann, "ich stell die Mühle hin, wo du willst, aber jetzt ist erst mal Fahren angesagt."
Ein Killersatz. Das nachfolgende Schweigen hält der Kameramann anscheinend selber nicht aus. Er schaltet das Radio an.
Alix sieht aus dem Fenster. In das einheitliche Grau der Wolkendecke ist Bewegung gekommen. Die Sonne malt

einen Silberrand. Vielleicht ist der Tod der Tante ja ein Himmelsgeschenk. Mit dem Erbe könnte sie raus aus dem Klein-Klein. Wenn sie mit eigenem Geld einsteigt, kann sie vielleicht ihren Spielfilm finanzieren.

Feierabend in Köln

Didi setzt den Kartoffeltopf auf den Küchentisch und wendet sich wieder zum Herd, um das Gulasch zu holen. Üblicherweise würde Alix nun schon mal die Kartoffeln verteilen, aber sie rührt sich nicht. Sie schaut blicklos in den dunklen Hof. Äste schwanken vor den erleuchteten Fenstern auf der anderen Seite des Karrees. Didi versucht, Alix ins Hier und Jetzt zurückzuholen.
"Hau rein in die Pampe, dass es spritzt bis zur Lampe."
Doch der Spruch entlockt ihr nur ein müdes Lächeln.
"Sie war wichtig für mich", sagt sie.
"Wer?"
"Meine Tante."
Didi sieht Alix skeptisch an. Aber er verzichtet darauf, anzumerken, dass die Tante, seit sie sich kennen, eher keine Rolle gespielt hat. Denn nun erzählt Alix wieder

einmal die Geschichte von ihrem ersten Skiurlaub. Didi hört ihr mit halber Aufmerksamkeit zu. Das hat er in langen ereignislosen Kindheitsnachmittagen bei seiner Oma trainiert. Um sich nicht zu langweilen, achtet er auf die Varianten in der Erzählung. Und tatsächlich gibt es diesmal ein paar Einzelheiten, die neu für ihn sind.

Lissy, so hieß Alix mit ihrem Kindernamen, war zwölf, als Tante Axel sie auf die Zugspitze einlud. Sie residierten im Schneefernerhaus. Nie zuvor war Lissy in einem so feinen Hotel gewesen. Mit den Eltern ging es höchstens in einen muffigen Eifelgasthof. Dort aber, im höchstgelegenen Hotel Deutschlands, ging man zum *five-o-clock-tea*. Und vorher musste man sich *in Schale werfen*. Lissy trug Ballerinas und ein hellblaues Kleid mit Petticoat und einem breiten Gürtel. Mami hatte es extra für die Reise genäht. Tante Axel nickte beifällig, als sie sich im Hotelzimmer drehte und den weiten Rock fliegen ließ. Dann spazierten sie durch die Gänge. Pianoklänge waren zu hören. Lissy schob ihre Hand in die der Tante. Aber das gehörte sich wohl nicht. Ein irritierter Blick traf sie, und die Tante entzog ihre Hand, um die Schwingtür zum Salon zu öffnen. Zunächst wurde der Panoramablick über das Hochplateau bewundert. Dann ging es weiter zum gläsernen Kuchenschrein. Lissy durfte sich ein Stück Torte auswählen. Der Pianist spielte weichen Jazz, ein junges

Paar tanzte dazu. Es spiegelte sich im glänzenden Schwarz des Flügels. Tante Axel kannte den Pianisten persönlich. Sie begrüßte ihn mit Vornamen. Mit dem Skilehrer duzten sie sich sogar. Denn in den Bergen war man *ganz informell.* Für das Erinnerungsfoto musste der Skilehrer den Arm um Lissys Schulter legen. Sie erinnert sich noch an das komische Gefühl von damals, eine Mischung aus freudigem Stolz und Peinlichkeit.
"Wie alt warst du?", fragt Didi, obwohl er es weiß. Auch das hat er bei seiner Oma gelernt: Fragen stellen, nur um etwas zu sagen. Und Alix dankt es ihm.
"Zwölf. Das war für mich die ganz große Welt. Aber mein Vater hat es runtergemacht. *Das ist ja wohl das Mindeste, was sie tun kann*, hat er gesagt.
"Dein Essen wird kalt."
"Entschuldige."
Alix nimmt folgsam die Gabel und steckt sie in den Mund.
"Schmeckt gut" sagt sie.
Didi hebt das Rotweinglas in Richtung Zimmerdecke und gibt das Kompliment weiter.
"Auf meine Omma selig."
Alix stößt mit ihm an.
"Schade, dass ich deine Oma nicht mehr kennengelernt habe."
"Das sagst du so leichtfertig. Die hätte dir Backen beigebracht, das kann ich dir sagen."

"Immer aufs Schlimme."
"Ich liebe dich, auch wenn du nicht backen kannst! Ich bin nämlich ein emanzipierter Mann. Ich will eine kluge Frau, eine, die große Filme macht."
"Na ja, groß war das heute nicht gerade."
"Ich rede doch nicht von heute. Ich rede von deinem Spielfilm. "
Alix seufzt.
"Der steht in den Sternen."
"Mit der Erbschaft sind deine Chancen auf Realisierung rasant gestiegen."
"Ich weiß nicht", sagt sie gequält. "Erst dachte ich das auch, aber..."
Sie schaut wieder in das schwarze Loch hinter der Fensterscheibe.
"Was weißt du nicht?"
"Ich weiß nicht, ob das gut ist, wenn ich das Erbe in meinen Film stecke."
"Wieso nicht?"
"Es fühlt sich irgendwie... Ich glaube, ich will das trennen."
Alix rührt mit ihrer Kartoffel in der Sauce herum, malt Muster auf den Teller. Didi sieht ihr zu und schüttelt den Kopf.
"Ich versteh dich nicht. Seit Jahren liegst du mir mit deinem Film in den Ohren. Jetzt hast du die Möglichkeit und... Wo ist das Problem?"

Alix spießt die Kartoffel auf und betrachtet sie wie ein sonderbares Insekt.
"Das Erbe hat nichts mit mir zu tun!", stößt sie unwillig hervor.
"Wieso das denn nicht?"
Sie lässt die Gabel sinken und lehnt sich zurück.
"Ich hab nichts dafür getan."
"Na und? Geld ist Geld."
"Ich will meinen Film machen, weil ich ihn verdiene!"
"Filmförderung verdienst du auch nicht."
"Doch! Wenn ich eine Förderung kriege, dann weil mein Drehbuch gut ist."
"Träum weiter."
Alix sieht ihn erschreckt an. Wenn sie an irgendetwas glaubt, dann ist es Leistung. Alles andere verachtet sie. Seilschaften, Beziehungen, unverdientes Erbe. Das ist alles unsauber. Das zählt nicht.
Didi geht um den Tisch herum, stellt sich hinter sie und krault ihr den Hals. Sie schmiegt sich in seine Hand.
"Also gut, kein Film" sagt er. "Und was willst du dann mit dem Zaster von deiner Tante anfangen? Vielleicht eine kleine Weltreise?"
Seine Hand wandert um ihren Hals herum zu ihren Brüsten. Alix kichert. Didi legt seine Schmeichelstimme auf: "Ich wollte schon immer mal nach Tonga."

Er umkreist ihre Brustwarze, als wäre es die ersehnte Südseeinsel. Da klingelt das Telefon. Didi lässt Alix los, nimmt den Hörer ab und meldet sich gutgelaunt mit "Reisebüro Langenhagen, Sie wünschen? - Ah, Helmut! - Ja klar, Alix ist..."
Doch Alix gestikuliert wild, dass sie nicht da sei, und Didi schaltet um.
"Ehm... Alix ist gerade in der Badewanne. Soll sie dich später zurückrufen? - Gut, richte ich ihr aus."
Als er aufgelegt hat, wendet er sich verwundert an Alix.
"Seit wann willst du nicht mit deinem Vater reden?"
"Ach, mein Vater."
Sie seufzt.
"Hab ich was verpasst?"
"Mein Vater macht mich wahnsinnig. Er war heute schon dreimal auf dem Anrufbeantworter. Mein Vetter sei bereits vor Ort, ich dürfe ihm auf keinen Fall das Feld überlassen. Was für ein Quatsch! Es reicht doch, wenn ich zur Beerdigung fahre."
Sie starrt finster vor sich hin.
"Isst du das noch?"
Alix schüttelt den Kopf. "Tut mir leid. Ist wirklich lecker, aber..."
Didi schiebt das übrig gebliebene Fleisch zurück in den Topf und räumt das Geschirr in die Spülmaschine. Als er fertig ist, sitzt Alix immer noch unverändert da.

"Wenn ich dich so sehe, könnte man denken, es ist eine Strafe, zu erben."
Alix lacht kurz auf. Didi zieht sie hoch.
"Komm. Ich wollte schon immer mal wissen, wie es ist, mit einer reichen Frau zu vögeln."

Im Zug

Zwei Tage später fährt Alix nach Hohenems. Das Abteil ist voll. Sie bittet die Sitznachbarin, auf ihre Sachen zu achten, und entflieht der drangvollen Enge. Erste Klasse zu fahren, wäre ihr nicht in den Sinn gekommen. *Mit der Zweiten kommt man genauso schnell an*, hieß es zu Hause. Sie ist sparsam erzogen. Schon mit sechs Jahren musste sie für ihre zwanzig Pfennig Taschengeld ein Ausgaben-Einnahmen-Buch führen. Was ihre Rechenkünste angeht, so hat es wenig genützt, aber auf den Pfennig achtet sie noch immer.
Der Speisewagen ist einer der alten Art, mit weißen Tischtüchern und kleinen Lämpchen. Sie erspäht einen freien Platz.

"Ist hier noch frei?", fragt sie und setzt sich, ohne eine Antwort abzuwarten. Der Mann gegenüber schaut von seinem Essen auf und nickt. Sein Kopf wirkt ungesund rot. Alix wünscht ihm guten Appetit und verschanzt sich hinter der Speisekarte. Sie entscheidet sich für Sülze mit Bratkartoffeln. Normalerweise bestellt sie Apfelschorle dazu. Doch heute gönnt sie sich ein Bier.
Am helllichten Tag!
Alkohol vor Sonnenuntergang, das ist frivol. Aber die Zugfahrt dauert noch ewig. Sie möchte nach dem Essen ein Stündchen verdösen. Parfum rauscht vorbei, eine Dame in Kostüm mit Pelzkragen steuert die erste Klasse an. Alix zupft sich eine Fluse von ihrem Pullover. Tante Axel hätte ihren Aufzug nicht gebilligt. Schwarze Jeans, Rolli und blauer Parka. Völlig okay zum Drehen, aber zu einer Beerdigung!
Tante Axel fuhr zweimal im Jahr nach Paris, um sich einzukleiden. Alix erinnert sich an ein schräg gestreiftes Taftkleid, an schimmerndes Gewebe in hellbeige, schwarz und cognacfarben. Es hatte einen schwingenden Rock und ein Oberteil, das eine Schulter freiließ. Es war ein Original von Balmain und kam mit dem Weihnachtspaket. Der Vater brummelte etwas von abgelegten Kleidern für die armen Verwandten. Doch die Mutter forderte ihre Tochter auf, das Kleid anzuprobieren. Das ließ sie sich nicht zweimal sagen. Sie verschwand hinter der Wohnzimmertür und tanzte

sich wieder ins Blickfeld der Eltern. Für einen Moment war sie schön, ein Filmstar, das lebendig gewordene Titelbild einer Illustrierten. Drei Drehungen und einen Luftsprung lang. Bis zu der abfälligen Bemerkung ihres Vaters: `Wie siehst du denn aus? Wie eine *femme fatale!´* Das Kleid fiel in sich zusammen, die freie Schulter fühlte sich plötzlich nackt an. Die eben noch raffinierte Asymmetrie war mit einem Mal etwas, für das man sich schämen musste.

`Am besten du machst Sofakissen aus dem Stoff´, beschied der Vater und lachte dröhnend. Damit war die Sache für ihn erledigt. Doch die Mutter machte das Kleid tauglich für den Abschlussball der Tanzstunde. Sie schnitt das asymmetrische Schulterband ab, fügte Spaghettiträger hinzu und ergänzte das Ganze mit einem Jäckchen. Alix sieht sich fünfzehnjährig auf einem Hocker stehen, die Mutter zu ihren Füßen.

`Jetzt halt doch mal still!´ fauchte sie durch ihre Zähne, mit denen sie die Stecknadeln festhielt, während sie mit dem Zentimeterband den Abstand vom Boden bis zum Saum maß. Das Abstecken war offenbar schwieriger als sonst, weil der Rock schräg geschnitten war. Zudem war der Taft *fluddelig*.

`Weiter!´ sagte die Mutter streng, und Lissy drehte sich um wenige Zentimeter auf der Stelle. Sie bemühte sich, flach zu atmen, um nicht zu wackeln, und hielt ihren Blick an den rombenförmigen Rauten des

bleiverglasten Bücherschranks fest. Die Buchtitel dahinter kannte sie alle. *Dostojewski*, *Schuld und Sühne*, *Anilin*, *Mata Hari*. Das Buch über die Spionin war in der zweiten Reihe versteckt. Mata Hari war eine Hure. Als sie vor dem Erschießungskommando stand, sah sie aufrecht in die Gewehrläufe. Sie öffnete ihren Pelzmantel. Daraufhin schossen die Schergen daneben, geblendet von ihrer nackten Schönheit. Und bevor sie ein zweites Mal durchladen konnten, ritt ein russischer Fürst herbei, hob sie auf sein Pferd und verschwand mit ihr im Nebel des frühen Morgens.
`Was ist eigentlich eine *femme fatale*?´ fragte Lissy.
Die Mutter nahm eine Nadel aus ihrem Mund und steckte sie in den Stoff.
`Eine Frau, die Männer ins Unglück stürzt.´
War Tante Axel eine, die Männer ins Unglück stürzte? Nach allem, was Alix weiß, war es eher umgekehrt. Sie ist von ihren Männern ins Unglück gestürzt worden. Angeblich hat sie nur deshalb in Hohenems gewohnt, weil ihr Ehemann sich in Frankfurt eine Geliebte hielt. Alix fragt sich, woher sie das weiß. Im Klartext ausgesprochen wurde so etwas nicht. Aber als Kind versteht man, was zwischen den Worten hängt.
`Steh grade! Sonst wird der Saum schief.´
Wie sie das Stillstehen bei den Anproben gehasst hat. Aber dank der Nähkünste ihrer Mutter schwebte sie

mit einem Hauch von Paris durch den Abschlussball ihrer Tanzstunde.

Der Kellner bringt die Bestellung. Das Bier sieht aus wie in der Reklame, goldgelb, zwei Zentimeter weißer Schaum.
Der erste Schluck ist der Beste.
Wieso hat sie heute ständig diese Versatzstücke im Kopf, diese Floskeln, so als säßen kleine Eltern in ihrem Hirn? Alix wischt sich den Schaumbart vom Mund. *An dir ist ein Junge verloren gegangen.* Genug jetzt! Aber so leicht lassen sich die Eltern nicht abschütteln. Merkwürdig, dass der Vater nicht mitkommen wollte zur Beerdigung. Normalerweise hätte er sich die Gelegenheit für eine kleine Reise mit der Tochter nicht entgehen lassen. Die Ausrede mit dem Kegelclub war nicht besonders überzeugend. Da steckte etwas anderes dahinter. Aber was?
Alix sieht aus dem Fenster. Bäume und Sträucher stehen so dicht an den Gleisen, dass sie als waagerechte Streifen vorbeiflimmern und den Blick auf die Landschaft verwehren.
Als Kind brachte sie einmal einen Preis im Hundertmeterschwimmen mit nach Hause. Alle waren stolz auf sie.
\`Das Kind kommt ganz nach der Alexandra´, bemerkte der Vater. Aber irgendwie war das Lob vergiftet. Und

wieso wurde sie kurz danach aus dem Schwimmclub abgemeldet?
Tante Axel war sportlich ein As. Nicht nur im Schwimmen, auch im Skifahren, Klettern und Reiten. Ihre Medaillen und Pokale füllten einen ganzen Biedermeierschrank.
Ob man solche Trophäen mit in den Sarg legen darf? Aber selbst wenn man es dürfte, dafür wäre es jetzt zu spät. Der Sarg ist zu. Alix hat die ganze Organisation dem Vetter überlassen.
"Auf Wiedersehen."
"Auf Wiedersehen", echot Alix, aus ihren Gedanken gerissen. Sie sieht dem Mann zu, wie er sich aus der Lücke zwischen Tisch und Bank herauszwängt.
Auf Wiedersehen – was für ein Quatsch. Den will sie bestimmt nicht wiedersehen. Alix spießt die Verzierungsgurke auf. Nun ist der Teller sauber leer gegessen.
Ob es einen Leichenschmaus gibt? Leichenschmaus - was für ein grausames Wort. Als Kind hat sie immer gedacht, dass dabei eine Leiche gegessen wird.
Wo waren sie eigentlich nach dem Tod der Mutter? Die Beerdigung verschwimmt in einem einzigen Nebel. Dabei ist sie erst acht Jahre her.
Alix weiß noch, dass sie schwer erkältet war. Didi flößte ihr heißen Rum mit Zitrone ein. Sie erinnert sich an eine kirre Mischung aus Heulen und lebenshungrigem

Sex im Gästezimmer. Noch am nächsten Morgen wölbte sich der Fußboden. Sie konnte keinen Bissen runterkriegen vom Frühstück. Aber ihr Vater langte kräftig zu, und schimpfte dabei vor sich hin. `Nicht mal zur Beerdigung der eigenen Schwester kann sie kommen!´ Die Stimme des Vaters wurde laut vor Empörung. `Dieses Weibsstück!´
Vielleicht wollte er deswegen nicht mitfahren.
Wie du mir, so ich dir.

Die Beerdigung

Es ist ein überschaubares Grüppchen, das aus der Sonne in die dämmrige Friedhofskapelle wechselt. Vetter Carl und seine Frau Moni gehen nach vorne durch, Alix folgt ihnen. Auch sie nimmt in der ersten Reihe Platz - auf der anderen Seite des Ganges.
Hinter sich hört sie Füße scharren, das Tok Tok von Pumps auf Steinfliesen, sanftes Ächzen der Kirchenbänke, Mantelgeräusche. Dann ein dumpfer Schlag. Etwas poltert zu Boden. Alix dreht sich um und sieht, wie sich der Notar bückt, um seinen Regenschirm auf-

zuklauben. Sie hat den fülligen Mann im Edelloden vor der Kapelle kennengelernt. Er kondolierte Carl und küsste dessen *verehrter Gattin* die behandschuhte Hand. Dann musterte er Alix.
"Sie müssen die Nichte sein, die Ähnlichkeit ist ganz unverkennbar."
Er setzte zu einem weiteren Handkuss an, ließ ihn jedoch, nach einem Seitenblick auf Alix´ Parka als unpassend ins Nirgendwo entschweben.
Nun setzt er sich umständlich, macht dem Haupttrauernden Eric Platz. Der zweite Mann von Tante Axel wird im Rollstuhl geschoben. Die *gute Seele* Frau Talheim fixiert das Gefährt und setzt sich in die Bank hinter Carl. Zwei Männer rutschen zur Seite, machen ihr Platz. Der Ältere ist vermutlich ihr Ehemann. Der Junge mit der verwegenen Tolle könnte ihr Sohn sein.
Eric scheint nicht zu begreifen, wo er ist. Seine halbgeschlossenen Augen wirken unfokussiert. Alkohol oder Valium, das ist hier die Frage. Vielleicht eine Kombination. Als Erics Kopf zur Seite rutscht, begegnet Alix dem süffisanten Blick ihres Vetters. Alix zuckt mit den Schultern. Dann sehen beide wieder mit angemessen ernstem Blick nach vorn, auf die mit Blumen umkränzten Kerzenleuchter.
Gestern am Bahnhof hat der Vetter sie lautstark begrüßt.

`Meine Lieblingscousine!´, rief er, und steuerte mit ausgebreiteten Armen auf sie zu. Alix kam sich vor wie in einem angejahrten Boulevardstück. Sie spielten glücklich wiedervereinte Familie, ganz so, als hätten sie sich in den letzten neun Jahren vermisst.
Jetzt streckt der Cousin ein Bein nach vorn und betrachtet seinen original handgenähten Budapester Schuh. Nicht unter dreihundert Mark das Paar, denkt Alix, Preisskala nach oben offen. So etwas weiß sie, seit sie einen Beitrag über ein Luxus-Schuhgeschäft drehte. Zur selben Zeit bereitete sie einen Dokumentarfilm über ein sozialistisches Kollektiv vor. Das war ein unschöner Spagat. Aber mit dem einen Film finanzierte sie den anderen. Der Ladeninhaber hat ihr als Dank für den Dreh *echte Budapester* zum Sonderpreis angeboten. Natürlich hat sie abgelehnt. Aber Didi sagte am Abend: `Schade, die hätte ich gerne gehabt.´ Und für einen kurzen Moment, bevor er anfing zu lachen, hat sie ihm geglaubt.

Es ist still geworden. Alix´ Parka wölbt sich unangenehm im Sitzen. Aber jetzt ist es zu spät, den Reißverschluss noch zu öffnen. Das Geräusch wäre aufdringlich laut.
Ein blauroter Fleck fällt auf das glänzende Sargholz. Alix verfolgt den Lichtstrahl zurück bis zum Buntglasfenster. Dann wird das Air von Bach intoniert.

Nicht sehr originell, aber immerhin keine Konserve. Drei Musiker spielen, Violine, Cello und Hammondorgel.
Alix hasst den Billig-Sound der Hammondorgel. Als Kind hat sie sich ein Klavier gewünscht und wurde stattdessen mit so einem Ding abgespeist. Das sei genauso gut und viel praktischer, hatte es geheißen.

Eric zuckt, taucht aus seinem Halbschlaf auf. Alix lächelt ihm zu. Gestern, beim ersten Wiedersehen war sie schockiert über seinen Zustand. Sie wusste nicht, wie sie ihm begegnen sollte. Schließlich hatte sie vorsichtig seine Hand berührt. Da war Leben in ihn gekommen.
`Ja, ich werd nicht mehr! Die berühmte Nichte meiner geliebten Gattin.´ Aber er sah sie kaum an. Seine Augen irrten unruhig umher.
`Wo ist sie denn schon wieder abgeblieben? Nie ist sie da, wo ich bin!´ sagte er ärgerlich.
Hatte er den Tod seiner Frau vergessen?
`Na ja, anyway´, sagte er mit seinem hamburgisch gefärbten Tonfall und wandte sich wieder Alix zu. `Du wirst auch immer schöner.´
`Und du bist ganz der alte Charmeur´, versuchte sie zu scherzen. Sie war froh, als Erics Abendessen kam. Frau Talheim stellte Bier und Schnittchen auf den Tisch und bedeutete Alix, ihr zu folgen.

In der Tür drehte Alix sich noch einmal zu Eric um, sah, dass er die Schnittchen ignorierte und sich genüsslich dem Bier widmete.
`Alkoholfrei´, flüsterte Frau Talheim verschwörerisch.

Die Sonne ist gewandert. Jetzt ist der Fleck oben auf dem Sarg gelb-blau. Das Rot ist auf den Fußboden gefallen, neben die Kränze. Ein Glück, dass der Vater auf einem Kranz bestanden hat. Die gelben Rosen mit dem Schleierkraut machen sich ganz gut. Eigentlich wollte Alix weiße Rosen, aber der Vater war für gelb.
`Gelb ist die Farbe von Neid, von Geld´, versuchte Alix ihn umzustimmen.
`Passt doch!´ hatte der Vater gefeixt.
Dann ging es um die Schleifenbeschriftung. Wenn die Mutter noch gelebt hätte, wäre es einfach gewesen. *In Liebe, Deine Schwester Betty*, hätte da gestanden. Aber die Mutter war tot, und der Vater liebte die Tante nicht. Also fiel *In Liebe* aus. *Tiefe Trauer?* Das wäre gelogen gewesen.
In stillem Gedenken. Das war zumindest eine Möglichkeit. Am Ende einigten sich Vater und Tochter auf *Gute Reise.* Das erschien ihnen passend. Schließlich war Tante Axel früher gern und viel gereist. Aber hier in der Kapelle wirkt *Gute Reise* etwas zu flapsig.
Die Musik hat aufgehört. Der Pfarrer erzählt von einem gottgefälligen Leben und geduldig ertragenem

Leid. Geduldig war Tante Axel eigentlich nie. Und mit der Kirche hatte sie auch nichts am Hut. Sie sprach immer nur von den *Pfaffen*, zumindest früher. Aber vielleicht ist sie nach ihrem ersten Schlaganfall fromm geworden. Oder der Pfarrer redet so huldvoll, weil sie für die Reparatur vom Kirchendach gespendet hat. Das ist wahrscheinlicher.

"Sie zog vom mittleren Rhein an den Alpenrhein" sagt der Pfarrer in seelsorgerischem Singsang. "Hier fand sie ihre eigentliche Heimat, denn sie liebte die Berge. Sie war eine mutige Sportlerin. Sie bezwang steile Felswände und beging schmale Pfade. Einmal, sie hatte erst kürzlich Abschied nehmen müssen von ihrem ersten Ehemann, wanderte die junge Witwe allein. Sie geriet in einen Wetterumschwung und kam im dichten Nebel vom Weg ab. Um ein Haar hätte sie dies mit dem Leben bezahlen müssen. Doch die Vorsehung wollte es anders. Sie wurde gerettet. Und sie belohnte ihre Retter aufs Großzügigste. Dies wiederum wurde ihr gelohnt. Denn später, als die nun Verstorbene gesundheitlich angeschlagen war, da kümmerte sich die Ehefrau des Retters in rührender Weise um sie."

Alix wirft einen Blick zu Frau Talheim und sieht, wie diese vor Befriedigung glüht über das öffentliche Lob. Und plötzlich steht Alix eine Szene vor Augen, die sie lange vergessen hat.

`Mein Gott´, sagte die Mutter und legte den Telefonhörer auf. `Alexandra ist im Krankenhaus. Sie hätte sterben können! Sie hat sich in den Bergen verirrt, war total unterkühlt, als man sie gefunden hat.´
`Wer sich in Gefahr begibt, kommt darin um´, sagte der Vater ungerührt, erntete einen vorwurfsvollen Blick der Mutter und lenkte ein. `Offenbar ist sie ja gerettet worden´ brummelte er.
`Nicht auszudenken, was passiert wäre, wenn sie nicht die Mieter vom Jagdhäusl getroffen hätte als sie losging. Und zum Glück haben die sich Sorgen gemacht, als das Wetter umschlug. Sie haben versucht, sie anzurufen. Aber natürlich hat niemand abgehoben. Und dann ist der Herr Talheim los, um sie zu suchen. Mein Gott...´
Die Mutter kämpfte mit den Tränen.
`Ist ja gut, ist ja gut´, meinte der Vater und tätschelte ihr den Rücken. Da sah die Mutter ihren Mann mit leuchtenden Augen an. `Weißt du, was sie jetzt macht? Sie schenkt den Talheims das Jagdhäusl. Das ist ja soo anständig von ihr.´
Doch der Vater kommentierte bissig:`Fremder Leute Häuser lassen sich gut verschenken.´
`Das ist doch Unsinn! Das Jagdhäusl war schon immer Alexandras Haus!´ rief die Mutter aufgebracht.
Und dann entdeckte sie die lauschende Tochter.
`Was stehst du denn hier herum?´ fuhr sie diese an. `Mach lieber deine Hausaufgaben!´

Im Weggehen hörte Alix, wie die sonst so sanfte Mutter das Abendbrotgeschirr ineinander knallte.

Der Pfarrer redet inzwischen von der zweiten Ehe der Verstorbenen, von der Tapferkeit, mit der Alexandra Pascher-Baumöller die gesundheitlichen Einschränkungen ihrer späten Jahre ertrug, und von Frau Talheim, der *guten Seele*, die ihr unverbrüchlich zur Seite stand.
Gestern führte die gute Seele Alix ins Ankleidezimmer und öffnete alle acht Kleiderschranktüren. Die Nichte sollte sich bedienen. Ratlos hatte Alix ein paar Bügel hin und her geschoben und versucht, sich gegen die große Hilflosigkeit zu wehren, die sie angesichts dieser schlaffen Kleider überkam. Was sollte sie damit?
`Ihre Tante war eine außerordentliche Frau´, sagte Frau Talheim und zog die Schublade mit den Strümpfen auf. `Nie wäre es ihr in den Sinn gekommen, schwarze Strümpfe zur braunen Hose anzuziehen. Es musste immer alles passen, auch als sie kaum noch laufen konnte. Wenn ich etwas falsch gebracht habe, dann hat sie mich zurückgeschickt.´
Alix nimmt ein Tuch in die Hand, erkennt die Pferdeköpfe von Hermes. Sie war dreizehn, als die Tante ihr zeigte, wie sie das Tuch falten musste.
`Fein säuberlich über Eck, vor dem Hals einmal überkreuz, dann die Enden hinten verknoten. Und jetzt

kommt das Wichtigste: Das Tuch von der Stirn zurückschieben und den Mittelteil leicht herauszupfen für einen schönen Hinterkopf. - Gut siehst du aus, wie Audrey Hepburn. So können wir losfahren.´
Tante Axel selber trug im geöffneten Cabriolet eine Lederkappe. Die stammte aus ihren Segelfliegerzeiten. Ihre Hände fassten das Steuerrad mit Fahrhandschuhen aus hellem, durchbrochenem Leder. Im Radio lief AFN. Beflügelt vom Swing fuhren sie in die Kurven. Die fernen Bergspitzen waren weiß, die nahen geschwungenen Hänge schimmerten in weichem Grün.

`Jetzt fehlt uns nur noch etwas Süßes zu unserem Glück´ meinte die Tante. `Im Handschuhfach müsste eine Pralinenschachtel sein.´
Lissy nahm die Schachtel vorsichtig in die Hand. Auf der Rückseite waren ein Foto und eine Beschreibung von jeder Praline.
`Lies mal vor´, forderte die Tante sie auf.
`Schwarze Schokolade gefüllt mit...´ Lissy stockte. Das Wort Curaçao war ihr gänzlich unbekannt. `Ku-rá-kao´ las sie. Und die Tante wollte sich ausschütten vor Lachen. `Ku-rá-kao! Göttlich! – Kürassáo ist ein Likör aus der Caribic. Na, dann gib mal her, deinen Ku-rá-kao.´
Man steht auf. Der Sarg wird nach draußen gerollt. Alix reiht sich ein in die Prozession. Sie geht allein hinter

Carl und seiner Frau. Sie fühlt sich irgendwie unvollständig. Sie vermisst Didi. Warum ist Didi nicht mitgekommen? Aber sie ist gar nicht auf die Idee gekommen, ihn zu fragen. Warum hätte er mitkommen sollen? Er kannte die Tante ja gar nicht. Komisch. Im normalen Leben hat Alix kein Problem damit, auch mal alleine aufzutreten, aber dieses Familienambiente wirft sie in ihrer Entwicklung zurück.
Carls Mantel sieht gediegen aus. Er ist nur sechs Jahre älter als sie, und doch kommt es ihr vor, als gehöre er zur Generation ihrer Eltern. Eigentlich kein Wunder, sie leben in verschiedenen Welten.
Als sie mit Didi in Berlin gegen den Schah protestierte, da übernahm Carl die väterliche Firma. Als sie einen Film gegen den Paragraphen 218 machte, da wurde er zum dritten Mal Vater.

Das ausgehobene Grab liegt im Schatten einer Felswand. Alix´ Blick wird nach oben gezogen. Kürzlich soll es in Hohenems einen Erdrutsch gegeben haben. Wenn dieser Hang da ins Rutschen gerät, dann sind die Toten doppelt begraben, und die Lebenden gleich mit.
Rechts vom Grab steht ein Eimer mit Erde und Schäufelchen. Links befindet sich eine Schale mit Blumen. Der Sarg wird gesegnet, an breiten Bändern in die Erde hinuntergelassen. Eric starrt auf das Verschwinden des Sargs. Frau Talheim drückt ihm einen kleinen Strauß in

die Hand und fährt den Rollstuhl so dicht ans Grab, dass er die Blumen hinunterwerfen kann. Eric scheint nun zu begreifen, was hier los ist. Tränen laufen über seine Wangen. Vielleicht war es ja doch Liebe, dass er Tante Axel geheiratet hat und nicht Berechnung, wie Alix´ Vater immer behauptet hat. Das Foto von den beiden auf dem Buffet im Salon spricht dafür. Alix hat es gestern lange angesehen. Das Gesicht ihrer schönen Tante glänzte feucht in der afrikanischen Hitze. Die rote Blüte in ihrem Haar passte farblich zum weit ausgeschnittenen Kleid. Erics Bräune kam durch den weißen Anzug perfekt zur Geltung. Ein Bilderbuchpaar, und offensichtlich verliebt. Wann ist aus Eric ein Alkoholiker geworden, und wann aus der mutigen Afrikareisenden eine bornierte ängstliche Frau?

Alix wirft ein Schäufelchen Erde auf den Sarg. Das macht ein grässliches Geräusch. Plötzlich sieht sie die ständig wiederholten Einladungen der Tante in einem anderen Licht. Vielleicht waren es verkappte Hilferufe.

Alix wischt sich etwas Nasses von der Backe. Wo kommen denn die Tränen auf einmal her? Ist es Trauer oder ein schlechtes Gewissen? Warum hat sie ihre Tante seit Jahren nicht mehr besucht? Diese lästigen Einladungen kamen immer so verdammt arrogant daher. Wie hätte sie die als Hilferuf verstehen sollen? Aber wenn sie ehrlich ist, dann hat sie die Verzweiflung hinter all dieser penetrant zur Schau getragenen

Munterkeit sehr wohl gespürt. Vielleicht ist sie gerade deswegen nicht gefahren. Sie wollte das Unglück nicht wahrhaben, wollte sich diesem Strindberg-Ambiente der Ehe nicht aussetzen. Was hätte sie denn tun können?
Ach, zum Teufel! Wo sind die Tempo-Tücher? Alix schnäuzt ihre Nase und ist froh, dass Weinen auf Beerdigungen üblich ist.

Im Hirschen

Carl und Alix haben sich für den Rehrücken mit Rotkraut und Semmelknödeln entschieden, als Hommage an den Großvater, den *großen Jager vor dem Herrn.* Moni bestellt ein vegetarisches Gericht.
"Und drei Bier", ordert Carl.
"Nur zwei", korrigiert Moni, "ich möchte Weißwein."
"Der Wein ist hier eher nicht so...", wendet Carl vorsichtig ein, "aber wie du meinst."
"Ja, ich meine." Ihr Ton ist spitz. Sie wollte nicht in den *Hirschen.* Geweihe an der Wand verderben ihr den Appetit. Aber dann sind sie doch in das alte Stamm-

lokal der Familie gegangen, gleich gegenüber von der Villa.
Alix ist die kleine Ehedynamik unangenehm. Sie versenkt sich in die Speisekarte.
"Hier gibt es Rehrücken! Habe ich seit Ewigkeiten nicht gegessen. Meine Mami hat ihn so gut gemacht. Die Sahnesauce war ein Gedicht."
"Natürlich, unser Familienrezept! Das konnte sogar Tante Axel."
Alix lacht.
"Ansonsten war sie ja nicht gerade die begnadete Köchin, eher so *Pü aus der Tüte*."
"Genau! Und Sahne aus der Sprühdose!"
Carl breitet die Arme aus.
"Ach Kinders, ist das stinkgemütlich."
"*Stinkgemütlich*, das hab ich schon ja lange nicht mehr gehört.
"*Erfroren sind schon viele, aber erstunken ist noch keiner.*"
"Alter Hüttenspruch."
Carl und Alix lachen einverständig. Familie hat doch etwas Verbindendes.
Allerdings nicht für Moni. Die fühlt sich außen vor bei dieser überraschenden Familienseligkeit, und macht auf sich aufmerksam, indem sie Carls Hut demonstrativ über ein Reh-Gehörn an der Wand stülpt. Verblüfftes Schweigen.
"So muss ich es nicht mehr sehen", erklärt sie.

"Ohhh, mein Sensibelchen." Carl tätschelt Monis Hand. "Moni hätte um ein Haar unsere Verlobung gelöst, nur weil der alte Herr sie einmal gezwungen hat zuzusehen, wie er ein Reh abdeckte."
"Das war schrecklich." Moni schüttelt es bei der Erinnerung. "Aber dann habe ich mich gerächt und dir das Jagen ausgetrieben!" Sie triumphiert.
"Das war nicht allzu schwer", meint Carl. "Ich war noch nie ein begeisterter Jäger, ganz im Gegensatz zu unserer Tante. Die hatte schon immer die Hosen an."
"Aber höchst elegante, im Marlene-Dietrich-Stil!"
"Nicht nur, auch Reithosen, Jagdhosen, Kletterhosen!"
"Der erklärte Liebling vom Alten durfte eben alles", sagt Carl in abschätzigem Tonfall. Alix wundert sich. Gab es auch auf seiner Familienseite Animositäten gegen die Tante? Carls Vater war der älteste in der Geschwisterreihe. Alix erinnert sich dunkel an ein Zerwürfnis. Jetzt tut es ihr leid, dass sie immer weggehört hat, wenn die alten Geschichten zur Sprache kamen.
"Tja, Geschwister", sagt Carl vieldeutig und genehmigt sich einen Schluck Bier.
"Ja, unglaublich, wie verschieden Geschwister sein können", sagt Alix. "Meine Mutter war total anders als Tante Axel. Überhaupt nicht grandios. Sie war eher so das Heimchen am Herd."
Moni ist zwar nicht gemeint, fühlt sich aber durch den Ausdruck *Heimchen am Herd* angegriffen.

"Die Tante hatte ja auch keine Kinder! Da kann man leicht grandios sein."
Monis Vehemenz ist unerwartet. Offenbar wurde bei ihr ein heikler Punkt getroffen. Peinliches Schweigen breitet sich aus. Alix lässt ihre Blicke schweifen.
Um sie herum rustikale Gesichter. Man spricht Dialekt. Ein Lederhosenträger führt das große Wort. Die Frauen hocken zusammen und sind mit den Kindern beschäftigt. Wahrscheinlich ist es hier auf dem Land ein Fortschritt, dass Frauen überhaupt mit dabei sein dürfen, denkt Alix. Ein Kind entwischt der Mutter und erobert sich einen Platz zwischen den Männern.
"Und bei dir", bricht Moni das Schweigen. "Keine Kinder in Sicht?"
"Eh, nein" antwortet Alix überrumpelt. "Also ich meine, ja, wir reden schon manchmal drüber, aber..."
Sie hat keine Lust, das Thema mit der dreifachen Mutter zu erörtern und betrachtet angelegentlich ein Gehörn, auf dem Salz- und Pfefferschälchen montiert sind. Sie zieht es zu sich heran.
"Jetzt guck dir das Teil mal an. Das ist ja von ganz besonderer Schönheit." Sie bläst eine kleine Pfefferwolke in die Luft.
"Dabei fällt mir ein, was ist eigentlich aus den Möbeln mit den Hirschgeweihen geworden? Weißt du noch, diese Besucherentfernungssessel, die so elendiglich in den Rücken pieken."

"Joa, das Knochenzimmer." Carl spitzt seinen Mund und macht Erics Hamburger Tonfall nach: "Das hat wohl unser Onkel auf dem Gewissen. Das muss einer von seinen berühmten Malaria-Anfällen gewesen sein. Nach dem Sturz in den Biedermeierschrank. Der war der erste. "
Alix gluckst verstohlen.
"Jetzt, wo du es sagst. Der Salon sah irgendwie leerer aus, als ich ihn in Erinnerung hatte."
"Ja." Carls Tonfall wechselt ins Sachliche. "Und da wir gerade beim Thema sind. Ohne Alexandra wird Eric nicht mehr im Haus bleiben können. Alleine schafft er das nicht. Man muss eine Lösung für ihn finden."
"Ja", sagt Alix überrumpelt, "hab ich noch gar nicht drüber nachgedacht."
Carl konstatiert, dass er seine Cousine richtig eingeschätzt hat, und fährt fort. "Es gibt da erstklassige Heime. Nicht preiswert, aber wir wollen natürlich so gut wie möglich für Eric sorgen. Ich will ja der offiziellen Testamentseröffnung nicht vorgreifen, aber..."
Carl verstummt. Das Essen wird serviert. Der Braten ist gut gesalzen. Alix trinkt ihr Glas leer, hält es hoch, um zu signalisieren, dass sie noch ein Bier möchte. Dabei fällt ihr das Signet mit dem Negerkopf auf.
"Mohrenbräu", liest sie. "Ist ja irre. In welchem Jahrhundert leben die hier? Der Mohr hat seine Schuldigkeit getan, der Mohr kann gehen."

"Schiller: Die Verschwörung des Fiesco. Es geht eben nichts über eine solide Internatsbildung, auch wenn meine Göttergattin da anderer Meinung ist. Sie hat gerne alle um sich herum. - Au!" Carl grinst. Offenbar hat Moni ihn unterm Tisch getreten. Doch Alix interessiert sich nicht für ihr Geplänkel. Sie hat ihre eigenen Gedanken verfolgt.
"Gibt es diesen Mohrenhocker eigentlich noch?"
"Du meinst den geschnitzten Neger mit dem Teller für die Visitenkarten auf dem Kopf?"
"Ja, genau den."
"Keine Ahnung. Man könnte mal in der Remise nachschauen."
"Gibt es da Licht?"
"Willst du etwa heute Abend dahin?"
"Warum nicht? Morgen ist die Zeit knapp. Und ich hab mir überlegt, das Teil wäre ein Superrequisit für meinen Spielfilm. Thea von Harbou hatte nämlich genau so einen Mohren in ihrer Berliner Wohnung."
"Du willst einen Spielfilm machen. Hört, hört."
Alix nickt. "Das Drehbuch ist fertig. Aber die Finanzierung ist schwierig."
Carls Augen blitzen auf. Das ist eine Information, die er interessiert zur Kenntnis nimmt.
"Um noch mal auf Eric zurückzukommen", sagt er und legt sein Besteck sorgfältig zusammen. "Ich weiß nicht, ob dir das klar ist. Wir beide sind zwar die alleinigen

Erben von Tante Alex, aber Eric ist mit seinem Pflichtteil an sämtlichen Immobilien beteiligt."
Das hat Alix nicht gewusst. Sie weiß nicht einmal, was ein Pflichtteil ist.
"Nun ist Erics gesundheitlicher Zustand leider so", fährt Carl fort, "dass er mit Immobilien nichts mehr anfangen kann. Deswegen habe ich eine Konstruktion angedacht, bei der sein Pflichtteil gegen eine lebenslange Versorgung eingetauscht würde."
Er macht eine Pause und sieht Alix erwartungsvoll an.
"Klingt vernünftig."
"Wenn es dir recht ist, machen meine Hausjuristen mal einen dahin gehenden Vertragsentwurf."
Er tupft sich die Lippen mit der Serviette ab.
"Übrigens, nur ganz nebenbei zu Deiner Information: Wir haben im Haus noch ein altes Testament gefunden, handgeschrieben, und voller Stockflecken, ist wahrscheinlich mal nass geworden. Also, du kannst von Glück sagen, dass es nicht gültig ist."
"Wieso?"
"Nach diesem Wisch würdest du so gut wie leer ausgehen. Aber was soll´s. Zum Glück ist unsere Tante noch zum Notar gegangen. Und jetzt erzähl doch mal von deinem Filmprojekt. Wer ist Thea von Harbou?"
Er schlägt die Beine übereinander und lehnt sich zurück. Alix lässt sich nicht lange bitten.

"Thea war die Ehefrau von Fritz Lang. Also von dem berühmten Fritz Lang, Regisseur von *Metropolis*, *Frau im Mond, Dr. Mabuse* und so weiter."
"Dr. Mabuse haben wir mal gesehen, erinnerst du dich, Moni? Mit Live-Musik. Die hatten da so einen Klavierspieler. Ja, manchmal haben wir auch bei uns in der Kleinstadt Kultur. - Und was hat nun Deine Thea von Dingenskirchen mit Dr. Mabuse zu tun?"
"Wer, glaubst du, hat das Drehbuch zu Dr. Mabuse geschrieben?"
"Fritz Lang?"
"Falsch! Das war Thea von Harbou. Sie hat alle seine Drehbücher geschrieben! Ohne sie war er gar nichts. Aber das weiß heute keiner mehr. Sie war schon berühmt, da gab es Fritz Lang als Filmregisseur überhaupt noch nicht."
"Interessant", sagt er desinteressiert. Aber Alix nimmt ihn beim Wort.
"Ja, finde ich auch. - Das Problem ist nur, dass in der Filmförderung lauter Männer sitzen. Und die haben naturgemäß wenig Interesse daran, einen Film zu fördern, der ihr Weltbild korrigieren könnte."
Das Echo ihrer Rede hängt im Raum. Alix kommt sich vor wie ein junges Pferd, das durchgegangen ist. Deshalb fügt sie selbstkritisch hinzu:
"Wahrscheinlich wäre es einfacher, wenn ich nicht auch noch selber Regie führen wollte. Aber es ist eben mein

Projekt, und das will ich auf keinen Fall aus der Hand geben."
"Verstehe", kommentiert Carl. "In diesem Fall wäre eine private Anschubfinanzierung vermutlich hilfreich."
"Du sagst es."
"Na, dann kommt dir die Erbschaft doch ganz gelegen!", meint er jovial und verlangt die Rechnung. Auch Alix zückt ihr Portemonnaie. Doch Carl lässt es sich nicht nehmen, sie einzuladen. Alix bedankt sich.

Sie treten aus der Gaststube ins Freie. Carl nimmt einen tiefen Atemzug und verkündet: "Schönes Wetter heute Nacht."
"Originalton Tante Axel! *Schönes Wetter heute Nacht.*"
"Und du willst jetzt tatsächlich noch in der Remise nach dem Mohrenhocker suchen?"
"Nein, also bitte!", platzt es aus Monika heraus.
Carl wirft ihr einen scharfen Blick zu. Alix zögert.
"Na ja, einerseits schon. Aber andererseits, wenn ich es mir recht überlege, im Zug kann ich das schwere Ding schlecht mitnehmen. Und ich weiß ja auch überhaupt noch nicht, ob und wann ich den Film jemals drehen kann. Also..."
Sie wünschen sich gegenseitig eine gute Nacht und wenden sich ihren unterschiedlichen Hotels zu.

Beim Notar

Pünktlich um neun betritt Alix das Notariat. Die anderen sind schon da. Es herrscht eine gedämpfte Stimmung. Vier Stühle stehen vor dem Schreibtisch. Der füllige Notar bittet die Herrschaften, Platz zu nehmen. Auf seiner Krawatte prangt ein Edelweiß.

Carl trägt Nadelstreifen und Moni ein Kostüm in Edelbeige. In der Liste der anwesenden Personen wird sie nicht genannt. Frau Talheim dagegen hat eine offizielle Funktion. Sie ist als Vertreterin von Eric dabei.

Das Testament, das der Notar verliest, scheint mit dem übereinzustimmen, das Alix vor einem Jahr in Kopie zugeschickt wurde. Sie erinnert sich an einen unangenehmen Abend. Ihr Vater war zu Besuch. Didi kochte. Sie selber stand unter Zeitdruck. Sie musste vor dem Essen noch etwas ausdrucken und hatte ihrem Vater das Schreiben der Tante weitergereicht, um ihn zu beschäftigen. Das war keine gute Idee.

Zuerst hatte der Vater sich über das Testament aufgeregt, und dann über Alix, die sich seiner Aufregung verweigerte. Sie hatte gemeint, die Tante könne mit ihrem Kram doch machen, was sie wolle.

Als der Vater gegangen war, versenkte sie das Testament in der Kunstledermappe, in der sie Geburtsurkunden und sonstige wichtige Dinge aufbewahrte.

Erst jetzt wird ihr klar, warum der Vater sich damals aufgeregt hat. Sie und der Vetter erben zu gleichen Teilen. Aber das bezieht sich nur auf die Villa, auf Papiere und Bargeld. Ansonsten ist das Erbe ziemlich ungleich verteilt. Das Frankfurter Geschäftshaus geht zur Gänze an den Vetter. Und das ist sicher zwanzig Mal so viel wert wie das Häuschen im Westerwald, das sie bekommt.

O je, dieses Häuschen! Tante Axel hat es ihr schon vor Jahren schenken wollen, *mit der warmen Hand.* Aber dann kam, anstelle des angekündigten Übertragungsvertrags, lediglich eine Broschüre des Haus- und Grundbesitzerverbandes, zusammen mit der Aufforderung, Alix solle sich um das Haus kümmern. Du liebe Zeit! Sollte sie etwa zwei Stunden fahren, nur um den Mietern im Westerwald Guten Tag zu sagen? Oder was stellte die Tante sich vor? Sie verstand nichts von Häusern. Außerdem hatte sie Wichtigeres zu tun, gerade jetzt, wo ihr Abschlussfilm einen Preis bekommen hatte. Sie musste die Gunst der Stunde nutzen. Sie musste mit Kinobesitzern verhandeln, Plakate vom Drucker abholen, Pressetermine organisieren.

So schob sie den Anruf bei der Tante wochenlang vor sich her. Als sie sich endlich dazu aufraffte, hatte sie es mit einer beleidigten Tante zu tun. Sie könne ihre Besitztümer auch anderweitig vermachen, warf sie der Nichte an den Kopf, und weckte damit den Rebell in Alix. `Wenn dir an einer Erbschleicherin gelegen ist, dann musst du dich anderweitig umsehen!´ hatte sie gekontert und den Hörer aufgeknallt.
Gut, das war nicht nett gewesen. Aber erst mit dem Erbe winken und sie dann unter Druck setzen, das ging gar nicht. Das war nicht ihre Welt. Ihr Abschlussfilm war eine Dokumentation über die *Sozialistische Selbsthilfe.* Sie hatte in einem besetzten Abrisshaus gedreht. Das Highlight war eine nicht geplante Szene mit einem vierzehnjährigen Ladendieb. Sie kamen zufällig vorbei, wie er eine Jeans in den brennenden Ofen steckte. Der Kameramann hatte sofort reagiert und mitgefilmt.
`Warum machst du das?´ hatte sie den Jungen gefragt und bekam eine nölige Antwort.
`Ja, ist Scheiße. Ist wegen dem Plenum. Die haben gesagt, wer klaut, muss gehen. Und wenn ich die Jeans jetzt behalte, dann darf ich nicht hierbleiben. Mann! Die Hose ist echt gut. Ganz neu geklaut.´ Widerwillig stocherte er die Hose in die Glut.

Der Notar ist ans Ende seiner Ausführungen gelangt. Stühle werden gerückt, Hände geschüttelt. Dann geht es zur Bank. Sie sind angemeldet. Zwar liegt noch kein Erbschein vor, aber Carl meint, es sei eine gute Gelegenheit, sich schon mal einen Überblick zu verschaffen.

Das Aktienpaket beläuft sich auf rund 700.000 D-Mark. Etwa 20 Prozent davon seien langfristig angelegt, sagt der Filialleiter. Der Rest könne bei Bedarf verkauft werden.

Alix versucht zu rechnen. Die Hälfte von 700.000 sind 350.000, minus 20 Prozent. Mist. Prozentrechnung kann sie nicht. Aber irgendetwas zwischen 200.000 und 300.000 wird wohl dabei herauskommen. Jedenfalls genug, um die Finanzierung für ihren Film anzuschieben.

Zum Tresorraum geht es in den Keller. Frau Talheim hat einen der beiden Schlüssel für den Safe, den die Tante gemietet hat. Der Bankangestellte geht vorweg. Eine Tür mit Gitterstäben wird geöffnet. Sie betreten einen Raum mit messingfarbenen Schließfächern. Die Choreographie ist eindrucksvoll. Der Angestellte steckt seinen Schlüssel ins Schloss, dreht ihn einmal um einhundertachtzig Grad, zieht ihn wieder heraus und tritt einen Schritt zurück, um Frau Talheim Platz zu machen, die den Tresorschlüssel der Tante hat. Als sie nun ihren Schlüssel dreht, gibt die doppelwandige Tür nach und öffnet sich. Daraufhin ziehen sich der Bankangestellte und Frau Talheim diskret zurück.

Carl nimmt die Kassette aus dem Fach und platziert sie auf einem leeren Tisch. Er lüpft den Deckel, öffnet eine Schatulle und reicht sie an Alix weiter mit der Bemerkung, der Schmuck gehe an sie. Im ersten Behältnis findet Alix eine dreireihige Perlenkette auf dunkelblauem Samt, mit üppiger Brillantschließe.
"Ach du heilige Scheiße", entfährt es ihr. "Wer soll denn sowas anziehen?" Sie kramt weiter, findet in einem Seidensäckchen ein schmales goldenes Ding, das sie nicht identifizieren kann. Sie dreht es unschlüssig in der Hand.
"Und was soll das bitte sein, eine Krawattennadel ohne Klemme?"
"Gib mal her."
Moni zieht an einer winzigen Schlaufe, woraufhin sich ein goldener Palmwedel entfaltet.
"Ein Sektquirl!" Moni ist begeistert.
"Aha", meint Alix, "und wozu ist der gut?"
"Damit kannst du die Kohlensäure aus dem Champagner quirlen."
"Dann kann man doch gleich Wein trinken! Aber wenn dir das Teil gefällt, kannst du es gerne haben."
Als nächstes findet Alix eine Kette mit einer schlichten runden Kugel.
Und weißt du auch, was das ist?"
"Klar. Eine Kaviarkugel."
Alix sieht sie verständnislos an.

"Wenn die Kugel einsinkt, ist der Kaviar nicht mehr so, wie er sein soll", erklärt Moni.
"Oh", sagt Alix. "Das braucht man ja wirklich dringend."
Sie erinnert sich an eine Szene in der Berliner WG. Irgendjemand hatte Kaviar aus dem Osten geschmuggelt. Sie hatten sich zu siebt darauf gestürzt, ihn gleich aus der Dose gelöffelt. Sie überlegt, wie Moni wohl gucken würde, wenn sie das erzählt. Doch dazu kommt es nicht, denn Carl entlässt einen bedeutsamen Pfiff. Die Frauen drehen sich zu ihm um.
"Was ist?"
"Ach, nichts", sagt Carl und schiebt irgendwelche Papiere zurück in einen Umschlag. Das weckt Alix´ Neugier.
"Lass mal sehen." Sie zieht die Papiere wieder heraus, sieht Kontoauszüge einer Schweizer Bank.
"Ist das ein Nummernkonto?"
"Pscht", macht Carl und sieht warnend zu der Tür, durch die der Bankbeamte und Frau Talheim verschwunden sind.
Monika linst über Alix´Schulter.
"325.000 Schweizer Fränkli. Das ist nicht nichts."
Sie kichert.
"Genau. Deswegen kann es auch ziemlich unangenehm werden", flüstert Carl. "Wir sollten das Couvert mitnehmen, bevor die Steuer davon erfährt." Er nimmt

den Umschlag an sich, zögert dann aber, ihn einzustecken. "Oder wir warten, bis die Erbscheine vorliegen. Vielleicht gibt es ja an anderer Stelle noch einen Hinweis darauf."
Er deponiert den Umschlag ganz zuunterst. Darüber wird der Schmuck gepackt. Dann geht die Kassette zurück ins Schließfach.
"Also Kinners, auf zum Bahnhof. Alix´ Zug wartet nicht."

Unterwegs malen sie sich aus, wie sie in die Schweiz fahren, um das Nummernkonto gemeinsam aufzulösen.
"Zur Feier des Tages wohnen wir alle im Baur au Lac", schlägt Moni vor.
"Und dann bringst du auch deinen Didi mit, versprochen?"
"Ja, sicher", sagt Alix und versucht, sich vorzustellen, wie sie mit Didi in einem Züricher Edelhotel residiert. Ausgerechnet mit Didi, der so stolz ist auf seine proletarische Herkunft und seine Zeit als Umzugspacker.
"Ach ja, schöne Grüße übrigens", fügt sie hinzu. "Eigentlich wollte er mitkommen, aber er hatte zu tun."
Warum sagt sie das? Es stimmt doch gar nicht. Dass er zu tun hatte, das stimmt schon. Aber dass er sie nach

Hohenems hätte begleiten können, das war weder ihr noch ihm in den Sinn gekommen.
Der Zug fährt ein. Die Verabschiedung ist herzlich. Vetter und Cousine beteuern, wie schön es war, sich endlich einmal wiedergesehen zu haben.

Didi, der schon längst kein Umzugspacker mehr ist, sondern seit zwei Jahren ein fest angestellter, gut verdienender Produktionsleiter, holt Alix vom Kölner Bahnhof ab.
"Na, wie war´s?" fragt er.
"Gruselig."

Häusliches

Alix sitzt über Abrechnungsformularen. *Schiffe versenken* nennt sie das. Es geht darum, Arbeitstage anzukreuzen, aber nicht etwa die tatsächlichen Arbeitstage, sondern nur so viele, wie ihr als freier Mitarbeiterin pro Monat erlaubt sind. Die Dreh- und Schnitttage sind klar. Vorbereitung, Konzeption, Recherche dagegen unterliegen der freien Gestaltung, unter Vermeidung von offiziellen Sonn- und Feiertagen. Alix zieht ihren Kalender unter dem Bauch von Katze Lenin heraus.
"Muss das sein, immer mittendrauf!"
Beleidigt richtet Lenin seinen Schwanz auf und stolziert gemächlich in Richtung Fensterbrett. Dort platziert er sich mit feinem Gespür für Ästhetik genau gegenüber vom rotgetigerten Marx. Alix nimmt den exakt spiegelgleichen Winkel bewundernd zur Kenntnis, als Bewegung in das Bild kommt. Beide Katzen springen plötzlich an Alix vorbei und rennen zur Wohnungstür. Kurz danach hört Alix das Klingelzeichen, mit dem Didi sein Kommen ankündigt.
"Bin da-a!", ruft er, als er die Wohnungstür öffnet.
"Hi-i!" antwortet Alix.

Die Katzen maunzen aufgeregt.
"Na, hat euch die böse Alix nichts zu fressen gegeben?"
"Lass dich nicht erweichen, die tun bloß so!"
Alix hört, dass Didi an der Küche vorbeigeht in Richtung Bad. Sie grinst spitzbübisch vor sich hin und zählt leise: einundzwanzig, zweiundzwanzig...
Da kommt er auch schon.
"So geht das aber nicht!", sagt er empört.
Alix macht noch ein Kreuzchen ins Formular, lässt ihren Drehstuhl herumkreiseln und lächelt Didi an.
"Was geht so nicht?" fragt sie mit Unschuldsmiene.
"Ich kann nicht baden! Die ganze Wanne ist voll mit Hemden."
"Ach? – Die Wanne ist voll mit Hemden? Sind das etwa die Hemden, die auf gar keinen Fall in die Waschmaschine dürfen, weil du die Kragen mit der Hand bürsten willst, so wie deine Oma selig dir das beigebracht hat?"
"Ja, aber doch nicht heute!"
"Hm. Gestern leider auch nicht, und vorgestern, oder vorvorgestern..."
Didis Empörung fällt in sich zusammen.
"Du weißt doch, was ich im Moment am Hals habe."
"Genau, und deswegen hab ich gedacht, ich helfe dir schon mal und weiche den Stapel ein."
Grummelnd entfernt er sich.

Eine halbe Stunde später liegt Didi in der Wanne, beregnet von den Hemden, die sanft über ihm auf der Leine schwingen und von ihren Bügeln tropfen.
Alix lehnt sich an den Türrahmen und betrachtet ihn wohlgefällig.
"Hübsch."
Sie kommt näher, hockt sich auf den Wannenrand, lässt ihre Hand ins Wasser gleiten und krabbelt sich unter dem Schaum von seinem Bauchnabel aus abwärts.
"Vorsicht, du wirst nass."
"Vielleicht will ich das ja."
Sie zieht ihren Pullover über den Kopf. Didi wartet nicht, bis sie ihn ausgezogen hat, sondern zieht Alix gleich in die Wanne. Dass dabei ein paar Hemden von den Bügeln ins Wasser fallen, stört weiter nicht.
Als sie wieder zu Atem kommen, konstatiert Didi, dass er die Hemden gleich noch einmal waschen könne.
"Ich mach dann in der Zeit einen Salat", schlägt Alix vor und steigt aus der Wanne.
"Salaaat - Eigentlich hab ich jetzt richtigen Hunger. Lass uns zum Yugo gehen."
"Einverstanden."
Alix schliddert über die Kacheln und pfeift fröhlich vor sich hin.

Beim Jugoslawen an der Ecke brauchen sie keine Karte. Sie bestellen ohnehin immer das Gleiche: Raznjici und

Pleskavica mit Schafskäse. Als der erste Hunger gestillt ist, schmiegt sich Alix an Didi.
"Wenn ich meinem Kalender glauben kann, dann war es heute ganz schön gefährlich."
Didi schiebt Alix von sich, sieht sie vorwurfsvoll an.
"Und wieso hast du nichts gesagt?"
"Ich hab es doch grade gesagt."
"Ja, hinterher!"
"Wir waren uns doch einig."
"Ach ja, waren wir das?"
"Ich dachte, wir lassen es drauf ankommen."
"Wenn das mit Hamburg klappt, bin ich noch mehr unterwegs."
"Rein rational passt es sowieso nie."
"Wenn wir uns schon über die dusseligen Hemden streiten, wie soll das erst werden, wenn wir richtige Verantwortung haben?"
Alix krault ihn im Nacken. Er lässt es sich widerwillig gefallen.
"Wir haben uns doch gar nicht gestritten."
"Mit Kind können wir nicht mehr einfach so zum Yugo gehen."
"Geht alles. Babyphon beim Nachbarn."
In dem Schweigen, das nun folgt, kommt sich Alix vor wie ihr eigenes Echo. Vielleicht haben sie diese Debatte schon zu oft geführt.

"Deine viel bewunderte Tante Axel hatte auch keine Kinder. Sonst hätte sie ihre tollen Reisen nicht machen können."

"Quatsch. Sie konnten keine Kinder kriegen. Ihr fescher Leutnant ist im Krieg verwundet worden, an höchst sensibler Stelle."

"Woher weißt du denn sowas?"

Alix zuckt mit den Schultern.

"Wie man halt so Sachen weiß, über die nicht gesprochen wird. Vielleicht stimmt es auch gar nicht, er soll ja eine Geliebte gehabt haben. Und das geht ja eigentlich nicht, wenn... Egal. Beim zweiten Mann war sie jedenfalls zu alt für Kinder, glaube ich wenigstens, müsste ich mal nachrechnen. Jedenfalls waren sie das Schreckensbild eines alternden kinderlosen Ehepaares, wie Hüdelchen und Tüdelchen!"

Da Didi nicht reagiert, setzt Alix nach.

"Ich war ja nicht oft bei denen, aber das hat mir gereicht. Mangels Kinder haben sie sich gegenseitig infantilisiert. Nicht zum Aushalten."

"Apropos Tante. Gibt es was Neues von Carl?"

"Ja. Er hat einen Vertragsentwurf geschickt."

"Das sagst du erst jetzt?"

"Ich wollte uns die Stimmung nicht verderben. Zwanzig Seiten unverständliches juristisches Zeugs." Sie pustet die Luft aus, um ihren Unmut zu signalisieren "Ich nehme es am Sonntag mit nach Bonn. Soll sich mein Vater damit herumschlagen. – Also, jetzt erzähl mal, wie sieht es mit Hamburg aus?"

Familienfilme

Alix klingelt, tritt einen Schritt zurück und sieht auf ihre Armbanduhr. Sie ist zu spät. Der Vater hasst Unpünktlichkeit. Warum hat sie nur so herumgetrödelt? Erst hat sie ihre Handtasche gepackt und die dazu passende Lederjacke angezogen, dann die Jacke gegen den Parka getauscht, die Handtasche wieder ausgepackt, den Inhalt im Rucksack verstaut, sich einen Schal um den Hals gewickelt, den Schal für zu heiß befunden, einen anderen gesucht... und zum Überfluss hätte sie auch noch den Vertragsentwurf des Vetters liegen lassen, wenn Didi ihn ihr nicht nachgetragen hätte.
Sie hatte ihm einen Backenkuss zugeschmatzt und war die Treppe hinuntergeeilt. Aber kurz vor der Haustür fand sie, dass die Verabschiedung entschieden zu flüchtig ausgefallen war. Sie drehte um, und rannte die Treppen wieder hoch, um sich eine ausführliche Umarmung abzuholen. Diesmal kam Didi mit nach unten und

bereitete ihr den ganz großen Bahnhof. Er winkte sie mit übertriebenem Armschwung aus der Parklücke, zückte ein Taschentuch und wedelte damit, bis sie um die Ecke bog.
Auf der Autobahn nach Bonn fragte sie sich, ob sie etwa Angst hatte, und wenn ja, wovor? Sie fand keine Antwort und drehte die Musik im Radio lauter.

"Da bist du ja endlich", sagt der Vater.
Sie umarmt ihn, murmelt etwas von Stau und hängt ihren Parka in den Flurschrank. Sie haben ein Programm für den Sonntagsbesuch. Der Vater hat vor, mit Alix´ Hilfe die alten 8 Millimeter Familienfilme auf VHS-Kassetten zu überspielen. Dafür hat er sich eine Apparatur ausgeliehen, mit der die Leinwandprojektion über eine Art Spiegel mit der Videokamera aufgenommen wird. Die Einzelteile liegen unverbunden herum. Der Vater versucht vergeblich, einen Stecker in eine nicht dazu gehörige Buchse zu bekommen. Er fuchtelt ungeduldig mit dem Kabel in der Luft herum.
"Du musst doch wissen, wie das geht! Du hast das doch studiert!"
"Paps, ich habe Drehbuch und Regie studiert. Für die Technik gibt es normalerweise Techniker."
Sie nimmt ihrem Vater das Kabel aus der Hand.
"Bau schon mal den Projektor auf. Ich kümmere mich um den Rest."

Endlich ist der erste Film eingefädelt. Es kann losgehen.
"Wenn du willst, kannst du, während der Film läuft, etwas dazu sagen".
"Wieso?"
"Die Videokamera nimmt auch Ton auf. Du könntest den Film kommentieren, während er läuft."
"Ah."
Der Projektor rattert. Der Countdown des Films läuft: 4-3-2-1-Zero. Das erste Bild erscheint. Man sieht eine lange Reihe von Vorkriegs-Limousinen. Vornehm gekleidete Menschen steigen aus den Autos, gehen auf die Kamera zu und an ihr vorbei. Die Herren tragen Zylinder, die Damen lange Kleider unter Pelzcapes.
Der Vater sagt nichts. Alix macht ihm ein aufforderndes Handzeichen. Er ignoriert es. So fängt sie schon mal mit dem Kommentar an.
"Wir befinden uns im Sommer 1939. Die Hochzeitsgesellschaft kommt vor der Kirche an."
Alix blickt zum Vater. Er räuspert sich und übernimmt mit angespannter Stimme.
"Das da ist mein Schwiegervater, Carl Theodor Pascher. Neben ihm meine Mutt... Aber jetzt ist sie schon wieder weg! Nein, so geht das nicht! Halt doch mal an!"
Die Apparaturen werden zum Stillstand gebracht. Alix spult den Rekorder zurück auf Null und lässt die

Videoaufnahme laufen. Der Vater sieht gequält zu seiner Tochter.
"Da hört man ja alles! Auch mein *So geht das nicht* !"
"Kein Problem. Das war nur die Probe. Wir können das überspielen und nochmal neu anfangen. Aber grundsätzlich finde ich es gut, wenn du etwas dazu sagst" versucht Alix, ihn aufzumuntern.
"Hm", murrt er unentschlossen.
"Ich kann dir auch Fragen stellen."
"Ne, lass mal."
"Ich kann jederzeit anhalten. Du musst mir nur ein Zeichen geben."
"Ja, gut."
"Fertig?"
Der Vater räuspert sich. Dann kommentiert er tapfer, in Kürzeln. So, wie er telefoniert, wenn es sich um teure Ferngespräche ins Ausland handelt.
"Hochzeit von Betty und mir. 1939. Noch im tiefsten Frieden."
Er sieht zu Alix. Die hält beide Daumen hoch und nickt ihm beruhigend zu. Nun ist sein Schwiegervater im Bild. Er spricht rasch, um ihn zu erwischen, bevor er wieder weg ist.
"Carl Theodor Pascher - mit meiner Mutter"
Atemlos wartet er auf den nächsten Bildwechsel.
"Hier ist Agathe meine Schwiegermamá und mein Vater."

Doch schon sind die nächsten Personen im Bild. Er macht wilde Zeichen mit den Händen.
Alix hält an. Ihr Vater atmet erschöpft aus.
"Anstrengend?"
"Ungewohnt."
"Sollen wir nochmal von vorn anfangen?"
"Nein, nur eine kleine Pause."
Das Standbild auf der Spiegelvorrichtung zeigt den Vater in einer schlanken Version. Er reicht seiner blutjungen Zukünftigen die Hand, um ihr aus dem Wagen zu helfen. Ein weißer Seidenpumps am zierlichen Fußgelenk streckt sich aus einem voluminösen Brautkleid und schwebt über dem Trottoir.
"Das war ein Kleid", schwärmt der Vater, "zehn Meter Schleppe! Deine Cousinen haben sie getragen."
Alix fällt auf, dass Braut und Bräutigam offenbar gemeinsam in die Kirche gehen.
"Das ist ja komisch, dass *du* die Braut führst. Muss das nicht der Brautvater tun?"
"Quatsch. Das haben erst die Amis eingeführt. Genau wie diesen Unsinn mit dem Reis. Wer schmeißt denn mit Lebensmitteln herum!"
Er trinkt einen Schluck Wasser.
"Weiter?" fragt Alix.
"Weiter."

Nach dem Mittagessen hält der Vater sein Nickerchen auf dem Sofa. Alix will die Zeit nutzen und nochmal einen Blick in den Vertragsentwurf des Vetters werfen. Doch schon die Aufschrift auf dem Kuvert ärgert sie.
Frl. Elisabeth Alexandra Hering.
Fräulein! Nur weil sie unverheiratet ist. Kein Mensch käme auf die Idee, Didi mit *Männlein* anzureden.
Draußen ist Herbst. Der Wind weht braune Blätter durch die Gegend. In Amerika gibt es das *Mrs* für hauptamtlich Verheiratete und den Ehrentitel *Ms* für erwachsene Frauen, egal ob verheiratet oder nicht. Aber die Amis hatten keinen Hitler, der die Ehefrauen zurück an Heim und Herd beorderte. Stattdessen hatten sie intelligente, und trotzdem attraktive Leinwandheldinnen, gleichberechtigte Paare wie Spencer Tracy und Katherine Hepburn.
Na gut, in den Fünfzigern hatten auch die Amis ihren Roll Back mit der Sauberfrau Doris Day und der Sexbombe Marilyn.
Der Vater beginnt leise zu schnarchen. Alix betrachtet ihn. Für einen Mann seiner Generation ist er ziemlich lernfähig. Immerhin toleriert er ihre *wilde Ehe* mit Didi und adressiert seine Briefe an sie inzwischen mit Frau. Er ist offen für Neues. Das rechnet sie ihm hoch an. Sogar an ihrem Film über die *Sozialistische Selbsthilfe* hat er etwas Gutes gefunden. Natürlich ist er gegen Hausbesetzungen, aber dass diese jungen Leute sich die

Hände dreckig machen und arbeiten, statt Sozialhilfe zu kassieren, das nötigt ihm Achtung ab.
Mit einem rasselnden Schnarcher weckt der Vater sich selber auf. Er räkelt sich.
"So, da bin ich wieder", sagt er. "Machst du uns einen Tee?" Er faltet seine Wolldecke zusammen, setzt seine Lesebrille auf und vertieft sich in die Papiere, die auf dem Tisch liegen.

Als Alix mit dem Tablett zurückkommt, hat er das Testament noch einmal gelesen und sich darüber geärgert. Er tippt mit dem Finger auf das Papier.
"Typisch! Erst steht da: Ich setze meinen Neffen Carl Ferdinand Pascher und meine Nichte Elisabeth Alexandra Hering zu gleichen Teilen ein, und dann geht das Geschäftshaus in Frankfurt allein an Carl." Er schnaubt verächtlich. "Und hier! Hast du das gesehen? *Wertunterschiede sind nicht auszugleichen.* Handschriftlich hinzugesetzt! Aber ordentlich paraphiert. Nun denn. So sind sie. Mir hat der Alte damals auch das Blaue vom Himmel versprochen. Und dann war alles leeres Gerede. Genau wie hier: *zu gleichen Teilen*, und dann geht alles an Carl."
Er sieht Alix herausfordernd an. Doch die vermeidet seinen Blick und konzentriert sich aufs Tee eingießen.
"Zucker?", fragt sie.

"Natürlich, ein Löffel, wie immer", sagt er unwirsch.
Alix rührt um und stellt die Tasse vor ihn hin.
"Weißt du Paps, eigentlich geht es mir nicht um das Testament von Tante Axel, das kann man sowieso nicht mehr ändern. Es geht mir um den Entwurf von Carl."
"Aber du musst das doch im Zusammenhang sehen!" poltert der Vater und blättert in den Papieren.
"Hast du das ärztliche Attest von Eric gesehen? Hier: Herr Baumöller ist auf Grund seiner chronischen Erkrankung zeitweise desorientiert und nicht als geschäftsfähig anzusehen." Er lacht höhnisch auf. "Chronische Erkrankung! Eine hübsche Umschreibung für den Quartalssäufer."
Er legt den Zettel beiseite und nimmt sich wieder das Testament vor. Er liest murmelnd, hebt einzelne Satzinseln heraus:
"*...mache ich Auflagen... für den Fall...mein Ehemann... Alten- oder Pflegeheim.... Hier, jetzt kommt es: ...sind meine Erben als Gesamtschuldner verpflichtet... Gesamtschuldner!* Das ist typisch. Erben tust du nur einen Bruchteil, aber die Schulden sollst du zusammen mit Carl bestreiten."
Alix versucht, ruhig zu bleiben.
"Ja, das ist das Testament, aber..."
"*Kosten der Unterbringung... ärztliche Betreuung...* und so weiter, und so weiter. Das kann ziemlich teuer werden." Er sieht Alix warnend an.

"Genau. Um die Kosten für Erics Unterbringung geht es ja auch in dem Vertragsentwurf zur Erbauseinandersetzung. Hast du den schon gelesen?"
Der Vater legt das Testament beiseite und nimmt das Schreiben des Anwalts in die Hand. Er brummt ein paar Mal beifällig beim Lesen, nickt hin und wieder, und gesteht am Ende widerwillig ein, dass der Vertrag auf den ersten Blick nicht übel aussehe. Dass Carl sich bereit erkläre, für die gesamte Versorgung von Eric aufzukommen, das sei durchaus nobel, allerdings auch kein Problem bei der Miete, die er jeden Monat in Frankfurt kassiere. Unterm Strich komme er natürlich sehr viel besser weg als Alix. Denn auf Grund der Erbauseinandersetzung entfalle Erics Beteiligung an den Immobilien. Und davon profitiere in erster Linie der, welcher das große Geschäftshaus erbe.
"Du meinst also, ich kann das unterschreiben?"
Der Vater zögert mit seiner Antwort. Er blättert vor und zurück, findet schließlich einen bedenklichen Passus.
"Also, dass du die Kosten für Beerdigung, Notar und Anwalt übernehmen sollst, das ist im Moment schwer kalkulierbar. Die Kosten werden nach dem Gesamterbe berechnet, inclusive Bargeld und Aktien. Man muss das Ganze auch unter steuerlichen Gesichtspunkten bedenken. Bei Erben dritten Grades, und das seid ihr beide ja nun mal, wird der Fiskus ordentlich zulangen."

Der Vater vertieft sich wieder in den Vertrag und findet einen weiteren Punkt. Die Sache mit der Villa, die Carl und Alix zu gleichen Teilen erben, scheint ihm unklar zu sein. An der Villa in Hohenems sei Eric offenbar nicht nur mit seinem Pflichtteil beteiligt. Er sei auch Miteigentümer.
"Wenn das der Fall ist, dann bleiben für euch nur je 12,5 Prozent. Außerdem hat Eric lebenslanges Wohnrecht in der Villa, und das ist bei einer durchschnittlichen Lebenserwartung von..."
"Aber das ist doch der Punkt! Eric kann gar nicht mehr da wohnen!" unterbricht Alix ihn aufgeregt.
Der Vater, der zuerst einmal das Grundsätzliche ausführen wollte, sieht zu seiner Tochter. Der Ausdruck in ihren Augen erinnert ihn an die panische Überforderung der Zehnjährigen, als er versuchte, ihr Prozentrechnung beizubringen. Er wird nie verstehen, warum das Gehirn dieses ansonsten so intelligenten Mädchens bei Zahlen blockiert. Er schiebt die Papiere zusammen.
"Nun gut", sagt er in abschließendem Ton. "Damit die Sache Hand und Fuß hat, müssen die Verkehrswerte der Immobilien ausgerechnet und mit dem Wert der Versorgung abgeglichen werden."
Alix ist flau im Magen.
"Und wer soll das machen?" fragt sie kleinlaut.
"Der Anwalt. Dafür wird er ja bezahlt. Stell ihm deine Fragen."

Damit ist die Sache für den Vater geklärt. Er steht auf und geht zum Projektor.
"Können wir jetzt weitermachen?"

Der nächste Film zeigt keine Familienszene, sondern Soldaten in Uniform. Im Vordergrund sieht man eine kaputte Fensterscheibe. Drei Gestalten rennen mit vorgestrecktem Gewehr von einer Mauer zur anderen. Im Hintergrund blitzt es.
"Bist du einer von denen?", fragt Alix.
"Wie denn? Ich hab doch gefilmt."
"Durftest du das denn, ich meine...?"
"Wer viel fragt, kriegt viel Antwort."
Ein Knall. Alix zuckt zusammen, hält den Knall im ersten Moment für einen Gewehrschuss, obwohl das gar nicht sein kann bei einem Stummfilm. Und dann sieht sie keine Soldaten mehr, nur noch eine weiße Leinwand. Dafür ringelt sich der gerissene Film meterweise auf dem Boden. Endlich gelingt es dem Vater, den Projektor anzuhalten.
Alix kriecht auf allen Vieren auf dem Teppich herum und versucht, das Material zu retten. Sie bündelt es vorsichtig in großen Schleifen.
"Wieso warst du eigentlich beim Barras? Du hast doch immer gesagt, dass du zu den weißen Jahrgängen gehörst, im Ersten Weltkrieg zu jung und im Zweiten zu alt."

"Das war auch so. Konnte ja keiner wissen, dass diese Idioten noch eine Front im Osten aufmachen. Da mussten dann alle ran. - Schnellausbildung."
Er reißt seiner Tochter die Bänder aus der Hand und wirft den Filmsalat in den Papierkorb.
"Was machst du denn da, das ist historisches Material!"
"Nein, das ist Mist! Das war schon immer Mist! Und dadurch, dass es alter Mist ist, wird es nicht besser!"
Alix wundert sich über den heftigen Tonfall ihres Vaters.
"Das hätte man noch kleben können", meint sie.
"Wozu? Ich hab das nur für Betty aufgenommen. Und Betty ist tot. Also, wen kümmert´s."
Er nimmt die Spule vom Projektor und lässt den Rest des Films in den Papierkorb laufen. Wenn der Vater diesen Ton anschlägt, hat es keinen Sinn, ihm zu widersprechen. Alix überlegt, dass sie das Material in einem unbeobachteten Moment immer noch aus dem Papierkorb holen kann.
"So. Was haben wir noch?" fragt der Vater.
Alix greift zur nächsten Filmspule und versucht, die verblasste Schrift zu entziffern. "Betty mit Lissy."
"Na, dann mal her damit, Lissy – ich meine, Alix."
Dafür liebt sie ihn. Es war sicher nicht einfach, sich umzugewöhnen, als sie nach dem Abi beschloss, ihren Kindernamen abzulegen. Sie sieht ihm zu, wie er den Film einfädelt.

"Bereit?"
Alix stellt die Videokamera an. Der Vater startet den Projektor. Sie sehen eine junge Mutter, die ihrem Baby die Flasche gibt.
"Mit dem weißen Kittel sieht Mami aus wie eine Ärztin."
"Ja, sie hat sehr auf Hygiene geachtet."
Inzwischen denkt der Vater nicht mehr daran, dass der Ton aufgezeichnet wird. Alix aber ist sich dessen bewusst. Sie versucht, ein Gespräch in Gang zu bringen.
"Wie dünn sie ist!"
"Gab ja nicht viel zu essen damals, nach dem Krieg."
"Und trotzdem hattet ihr Filme?"
"Ja, sicher. In Hohenems sind ja keine Bomben gefallen. Das ganze Lager ist im Krieg dahin verlegt worden. Deswegen konnte das Geschäft in Frankfurt auch so schnell wieder aufmachen."
Im Film winkt die Mutter abwehrend in Richtung Kamera. Offenbar findet sie, dass es jetzt genug sei mit der Filmerei. Doch der Kameramann kommt näher. Da lacht die Mutter verlegen und streckt ihm die Zungenspitze heraus. Dann wendet sie sich dem Baby zu, nimmt ihm die Flasche weg, legt es an ihre Schulter und schuckelt es, damit es ein Bäuerchen macht.
Es folgt eine Szene mit Kinderwagen. Die Mutter, elegant mit Hut und im engen Mantel, wuchtet das

schwere Gefährt eine Treppe herunter. Dann eilt sie zurück, um das Baby zu holen, das sie vor der Wohnungstür abgelegt hat. Sie wiegt es im Arm und spitzt den Mund. Offenbar macht sie beruhigende Töne, als sie es in den Wagen legt. Dann schiebt sie den Kinderwagen aus der Einstellung heraus. Man sieht eine Straße mit spärlichem Verkehr. Ein Pferdefuhrwerk und eine Straßenbahn kreuzen sich. Dann die Großaufnahme eines schreienden Babys. Ein riesiger, aufgerissener Mund, der sich nur verkleinert, wenn das Baby nach Luft schnappt, um weiterschreien zu können. Eine Hand mit Rassel kommt ins Bild. Aber das Baby will keine Rassel. Es schlägt sie beiseite.
"Temperament hast du schon immer gehabt." Der Vater lacht. Das Baby im Film aber schreit heftiger. Die verkrallten Fäustchen fahren durch die Luft, der kleine Körper bäumt sich auf. Die Filmkamera dokumentiert es ungerührt. Alix spürt die Verzweiflung des kleinen Wesens. Doch sie schiebt ihr Unbehagen beiseite und fragt in neutralem Ton:
"War ich ein Schreikind?"
"Nein, gar nicht, du hast nur geschrien wenn du Hunger hattest."
Mittlerweile kommt das immer noch stumm schreiende Baby auch dem Vater merkwürdig vor.
"Also, da müssen wir schneiden. Das dauert ja viel zu lang."

Er hält den Film an, geht zum Schrank, zieht die unterste Schublade auf, bückt sich und wühlt darin herum.
"Jetzt guck du doch mal! Die Schneideapparatur muss da irgendwo sein."
Mit Mühe richtet er sich wieder auf. Alix setzt sich vor den Schrank auf den Boden und sichtet verschiedene verstaubte Kartons.
"Warum habt ihr mich denn schreien lassen, anstatt mir was zu essen zu geben?"
"Du musstest nie hungern, nicht so wie andere Kinder. Du hast immer pünktlich etwas bekommen, alle vier Stunden."
"Und wenn ich vorher Hunger hatte?"
"Dann nicht. Die Mami war da sehr genau."
Ein gewisser Stolz schwingt in seiner Stimme.
Alix findet es grausam.
"Warum habt ihr mich schreien lassen, anstatt mir was zu essen zu geben?"
"Das machte man damals so."
Der Vater ist verunsichert. Er versucht, die Methode zu rechtfertigen, und rettet sich in einen Allgemeinplatz.
"Was Hänschen nicht lernt, lernt Hans nimmermehr."
"Heute nennt man das *Schwarze Pädagogik*."
Alix Stimme ist schärfer als von ihr beabsichtigt. Der Vater ignoriert es und wechselt das Thema.

"Was ist denn nun mit dem Schneideapparat? Hast du ihn gefunden?"
"Meinst du dieses Teil aus der Steinzeit?"
Sie hält dem Vater einen Karton entgegen.
"Ich weiß gar nicht, was du willst, der hat mir immer sehr gute Dienste geleistet."
Er holt den kleinen Apparat aus der Verpackung, schüttelt die beiliegende Flasche.
"Na ja, die Klebeflüssigkeit ist ein bisschen eingetrocknet."
"Hast du Tesafilm da? Heute macht man das mit Tesafilm."
"Dann ist es ja doch zu was nutze, dass wir dich auf die Filmhochschule geschickt haben."
Vater und Tochter sehen sich an. Ein Lächeln schleicht sich ein. Er reicht ihr die Hand, zieht sie vom Boden hoch. Da lässt sie für einen Moment den Kopf an seine Schulter sinken, und er tätschelt ihr unbeholfen liebevoll den Rücken.

Im Sender

Alix hat überraschend doch noch einen Termin in der Geschichtsredaktion bekommen. Sie hofft, dem Redakteur ihr Serienkonzept schmackhaft machen zu können. Es geht um kreative Frauen, die ihre Kunst wegen ihres Geschlechts nur unter dem Namen eines männlichen Verwandten ausüben durften. Alix hat das Konzept im Sommer für die Frauenredaktion geschrieben. Doch dort gab es weder Geld noch Sendeplatz dafür. Man verwies Alix auf die Geschichtsredaktion im dritten Programm. Dort ruht das Projekt seit Monaten, bis zu dem überraschenden Anruf vor drei Tagen.
Alix blickt auf ihre Uhr. Sie ist zu spät. Und sie ist aufgeregt.
Sie kontrolliert im Vorbeieilen ihr Spiegelbild in der gläsernen Fassade des Vierscheibenhauses und sieht, dass ihr Lieblingspförtner Dienst hat, ein soignierter Herr mit Namen Königs. Sie nimmt es als gutes Zeichen und lächelt ihm zu. Er nickt freundlich zurück. Er kennt sie, mag sie und lässt sie, wann immer möglich, in der Tiefgarage parken. Alix fühlt sich wie eine Königin, wenn sie mit ihrem alten VW vor das Rollgitter fahren darf, das Herr Königs eigens für sie mit seinem Geheim-

knopf öffnet. Dann ist sie eine, die dazugehört, zum großen WDR. Doch heute ist sie mit der Bahn gekommen. Das Auto ist in der Werkstatt. Alix passiert die Drehtür und nimmt Kurs auf die Fahrstühle, als sie von Herrn Königs Stimme aufgehalten wird.
"Darf ich bitte Ihren Ausweis sehen?"
"Wieso das denn?"
"Tut mir leid Frau Hering, eine neue Bestimmung."
Alix durchsucht ihre Jackentaschen, wird fündig und hält ihren Ausweis für freie Mitarbeiter hoch. Herr Königs gibt ihr mit eleganter Geste den Weg frei.
"Einen schönen Tag noch."
"Danke, Ihnen auch."

Die Aufzugstür beginnt, sich zu schließen. Alix rennt, hält die Hand vor die Lichtschranke und quetscht sich mit einem "Entschuldigung" neben den Boten mit dem Hauspostwagen.
Gleich im ersten Stock hält der Fahrstuhl wieder. Der Bote steigt aus. Alix drückt den Knopf für die vierte Etage. Müssen sich diese Türen so langsam schließen? Der Mann neben ihr zupft an seiner Krawatte. Die großen Blüten auf orangenem Grund sollen wohl den biederen Anzug aufpeppen. Der Fahrstuhl stoppt. Noch ein Halt! Alix sieht auf ihre Armbanduhr, so als könne sie dadurch den Gang der Dinge beschleunigen.

Der Anzugträger steigt aus. Sein Grau verschmilzt mit dem Teppichgrau. Dann wischt ihn das Silbergrau der Aufzugtür weg, wie eine Filmblende.
Endlich die vierte Etage.
Gleichmäßig gerahmte Kunst strukturiert den Gang. Künstliche Luft und Neonlicht haben einen sedierenden Effekt. Tür – Türschild - Bilderrahmen. Tür – Türschild – Bilderrahmen. Tür – Türschild – Bilderrahmen. Tür – Türschild... Alix ist vor der Geschichtsredaktion angekommen. Sie klopft. Keine Antwort. Sie öffnet die Tür.
"Entschuldigung, ich bin zu spät, aber die KVB..."
Frau Müller sieht von ihrer halbautomatischen Schreibmaschine zu Alix.
"Guten Tag! Soviel Zeit muss sein."
"Tag Frau Müller. Tut mir leid, ich bin zu spät, aber..."
"Kein Problem. Dr. Bonhoff telefoniert noch. Nehmen Sie bitte Platz."
Natürlich. Das hätte Alix sich denken können. Man hat auch ohne sie zu tun. Sie setzt sich. Die Uhr über dem Türrahmen tickt synchron mit dem vorspringenden Sekundenzeiger. Der Ablagetisch neben dem Stuhl ist voll mit Programmbroschüren. Alix blättert ein paar durch. Hunderte von Kollegen haben genauso viele Ideen wie sie. Und diese Ideen sind alle schon angenommen. Entmutigt wandert ihr Blick zum Fenster. Dort ist ein Ausschnitt der Ziegelarchitektur vom

Landgericht zu sehen. Steinerne Verzierungen, gelbe und rote Ziegel. Diese alten Wände können noch atmen. Betonmauern brauchen eine Klimaanlage. Alix öffnet ihre Jacke.

"Wollen Sie ablegen?", fragt Frau Müller.

"Nein, danke. – Oder ja, vielleicht doch. Ist ziemlich warm, wenn man von draußen kommt."

Frau Müller öffnet den Garderobenschrank und hängt Alix´ Jacke neben ihren Mantel. Dann setzt sie sich die Kopfhörer wieder auf und tippt weiter. Die rote Kerze auf dem Adventsgesteck ist unbenutzt, der Docht jungfräulich. Tannengrün mit Silberschleife und lila Kugel. Alix spiegelt sich in der Kugel. Sie hat einen winzigen Kopf und ein ausuferndes Becken. So haben die Urvölker ihre Frauen dargestellt. Der Kopf war unwichtig, die Gebärfähigkeit dagegen... Didi mag ihren Kopf. Na ja, nicht nur. Heute früh hat sie Parfum angelegt, Opium. `Für mich machst du das nicht!´ hatte er den Eifersüchtigen gespielt und an ihr herumgeschnuppert. So landeten sie wieder im Bett, und sie verpasste die Straßenbahn.

"Dr. Bonhoff hat aufgelegt. Sie können jetzt reingehen", sagt Frau Müller. "Viel Glück."

Alix nickt ein Dankeschön, klopft an die Tür und öffnet sie.

"Frau Hering, schön, dass Sie kommen konnten", schallt es ihr entgegen. Der Redakteur deutet ein Auf-

stehen an und lüpft seine Leibesfülle kurz über die Sitzfläche.
"Frau Müller, bringen Sie uns doch bitte zwei Tee."
Und dann zu Alix gewandt: "Ich habe umgeschaltet auf Grüntee. Der schmeckt zwar nicht, soll aber gesünder sein als Kaffee."
Er lacht.
"Sie trinken doch Tee?"
"Ja, gern, danke."
Alix weiß nicht, wohin sie sich setzen soll. Der Stuhl vor dem Schreibtisch ist mit Büchern belegt. Der Redakteur folgt ihrem Blick.
"Alles Recherche für meinen Südsee-Film", erklärt er. " Legen Sie die Bücher einfach da drüben hin."
Alix hebt den Stapel an, platziert ihn vorsichtig auf einem von Broschüren überquellenden Sessel.
"Also, Frau Hering. Ich habe gute Nachrichten. Es gibt noch etwas Restgeld für dieses Jahr. Das muss bis Ende Dezember ausgegeben werden, sonst verfällt es und der Etat wird im nächsten Jahr gekürzt. Völliger Schwachsinn, wenn Sie mich fragen, aber ich habe diese Regelungen nicht gemacht."
Er sucht etwas auf seinem Schreibtisch, zieht Alix´ Treatment hervor und tippt mit dem Finger darauf. *Anonym.* Er liest den Titel mit einer Stimme, die seine Distanz zu dem Projekt deutlich macht.
"*Eine Serie über Frauen, die unter dem Namen ihrer Väter,*

Ehemänner und Brüder malten, schrieben und komponierten. Gut, gut."
Er überblättert die Inhaltsbeschreibung und hält bei der vorletzten Seite inne.
"Was mich interessiert, ist die Machart. Sie schreiben hier, dass Sie die Dokumentation mit Spielfilmszenen auflockern wollen. – Ah, Frau Müller!"
Er nimmt seine Tasse entgegen.
"Kein Zucker? Sie gönnen uns aber auch gar nichts."
"Sie sagten doch, sie wollten..."
"Was kümmert mich mein dummes Geschwätz von gestern. Der gute Adenauer ist zwar nicht mein Fall, aber sein Spruch ist gut, und heute ist schließlich Nikolaus. Also, liebe Frau Müller, jetzt rücken Sie mal ein paar Zimtsterne raus."
Er lacht.
"Zimtsterne raus - für den Nikolaus!"
Als Frau Müller das Verlangte bringt, wirft er einen Zimtstern in die Höhe und fängt ihn mit dem Mund auf. Er blickt Applaus heischend um sich. Doch Frau Müller zieht die Tür ins Schloss, und Alix beißt ein kleines Stück von ihrem Zimtstern ab.
"Wo waren wir?"
Der Redakteur wirft seinen Leib gegen die Lehne des Drehsessels und klatscht die Hände gegeneinander.
"Ach ja, Ihr Frauenprojekt. Ich könnte das Drehbuch dafür finanzieren, Stichwort Restgeld. Allerdings kann

ich Ihnen nicht viel Hoffnung auf eine Realisierung machen. Das nächste Jahr ist vollständig verplant."
Er macht eine bedeutungsvolle Pause.
"Kennen Sie sich mit Sokrates aus?" fragt er dann.
"Sokrates?"
Alix bleibt vor Überraschung der Keks im Hals stecken. Sie hustet. Zu Sokrates fällt ihr nur Xanthippe ein, das Urbild der nörgelnden Ehefrau. Aber das behält sie lieber für sich. Zum Glück scheint der Redakteur keine Antwort von ihr zu erwarten. Er redet selber weiter und erklärt, dass er eine Serie über Prozesse der Weltgeschichte plane.
"Den Auftakt soll der Prozess gegen Sokrates machen."
Er sieht erwartungsvoll zu Alix. Sie hat keine Ahnung, warum er ihr das erzählt und lächelt unsicher.
"Ja, wie gesagt, Ihre Idee mit den szenischen Einschüben... die könnte ein gutes Gestaltungsmittel dafür sein."
Alix überlegt, was das heißen soll. Bietet er ihr jetzt etwa an, einen Film über Sokrates zu machen? Und wenn ja, was bedeutet das für ihr Künstlerinnen-Projekt?
"Sie dürften das auch inszenieren" fügt Dr. Bonhoff hinzu und lehnt sich zurück.
Inszenieren. - Das ist ein unwiderstehlicher Köder für Alix. Da fällt ihr sogar zu Sokrates etwas ein. Vor ein paar Monaten hat sie eine Theaterinszenierung des

Phaidon gesehen. Davon erzählt sie nun. Sie lobt den Hauptdarsteller, die fantastische Präsenz, mit der er die philosophischen Dialoge gesprochen habe, so, als seien sie ihm gerade eingefallen. Ein idealer Sokrates. Der Redakteur will den Namen des Schauspielers wissen.

"Beckl. Hans Christian Beckl."

"Soll man den kennen?"

"Er spielt an der Schaubühne in Berlin."

"Ah! – An der Schaubühne."

Dr. Bonhoff ist beeindruckt. Dieses Theater ist ein Garant für Qualität. Alix nutzt ihre Chance.

"Ich könnte Kontakt mit ihm aufnehmen, wenn Sie wollen. Ich kenne ihn aus meiner Berliner Zeit. Allerdings hat Beckl sich, soviel ich weiß, bisher dem Fernsehen verweigert."

Das wiederum ist ein Köder für den Redakteur. Er hat eine Hochschulkarriere aufgegeben, als er zum Sender ging. Und Leute, die sich dem Populärmedium Fernsehen entziehen, reizen ihn. Er sieht Alix prüfend an und sagt dann kurz entschlossen:

"Gut. Fahren Sie hin. So etwas klärt sich am besten im persönlichen Gespräch. Die Fahrtkosten übernehmen wir."

Alix fühlt sich geehrt. Trotzdem will sie noch wissen, was mit ihrem Frauenprojekt ist.

Der Redakteur lächelt süffisant.

"Sie haben die Wahl. Ein Drehbuch zu ihren Frauen, oder Buch und Regie zu Sokrates. Überlegen Sie es sich."

Entscheiden

Alix krault die Katze. Wofür soll sie sich entscheiden? Für die Frauenserie oder für Sokrates? Die Taube auf dem Dach, oder lieber der Spatz in der Hand?
Sie würde gern mit Didi darüber reden. Aber Didi ist in Hamburg. Er testet seinen Marktwert. Als Max ihm von der freien Produktionsleiterstelle erzählt hat, war er sofort elektrisiert. Didis anfängliche Begeisterung über die Festanstellung beim WDR hat nachgelassen. Für seinen Geschmack gibt es beim Sender zu wenig Spielfilme und zu viel Bürokratie. Manchmal komme er sich vor wie in einem goldenen Käfig, sagt Didi. Er beneide Max, der als Kameramann in der ganzen Welt herumkommt. - Der schöne Max. Alix lächelt versonnen vor sich hin. Sie fällt durch die Zeit und landet in einer flirrenden Augustnacht. Sie waren zum Baden gefahren. Max, Didi und sie. Das verschwiegene Fleckchen Sand,

an dem sie sich niederließen, strahlte noch die Hitze des Tages ab. Sie rissen sich die verschwitzten Kleider von Leib und rannten nackt in den Grunewaldsee. Sie tobten, spritzten und lachten, bis der Übermut umschlug in eine gefährliche Sanftheit. Sie zogen sich gegenseitig durchs Wasser, sie ließen sich treiben, Arme und Beine rieben aneinander, drifteten weg, nur um sich in neuer Konstellation wieder zu begegnen. Alix fing mondbleich aufgerichtete Glieder ein. Und später an Land wurde das Spiel fortgesetzt. Tropfen wollten geleckt werden. Alles gehörte allen, in dieser unwirklichen Nacht. Sie hätte das als Traum abtun können, wären da nicht am nächsten Tag diese Spuren gewesen, welche die Steinchen und Äste an Alix´ Körper hinterlassen hatten. Sie trug die Blessuren mit verschämtem Stolz, und ließ sich jede einzelne von Didi gesund küssen. Gesprochen haben sie nie über diese Nacht. Worte hätten den Zauber gebrochen. Aber manchmal sucht Alix die Erinnerung auf, und jedes Mal ist ihr, als würde sie aus einem großen Topf Sahne schlecken.
Lenin schnurrt vernehmlich. Kann er Gedanken lesen? Alix gibt ihm einen Nasenstüber. Dann sucht sie die Telefonnummer von Max raus. Didi wohnt natürlich bei ihm. Max hat eine Hanseatin geheiratet, mit Jugendstilwohnung in der Nähe vom Rothenbaum.
Alix wählt die Nummer. Am anderen Ende meldet sich der Anrufbeantworter. Eine fröhliche Kinderstimme

verkündet: "Hier sind Max, Meike, Caro und Nina. Leider sind wir nicht da. Nachrichten nach dem..."
Die Stimme der Älteren bleibt in der Luft hängen. "Jetzt du!", flüstert sie, "Los! Du bist dran."
"Piiiiieps!", kräht die Kleine.
Alix legt den Hörer auf. Max war der Erste, der aus der WG auszog. Jetzt hat er zwei Kinder, die schon auf den Anrufbeantworter sprechen können.
Sie seufzt. Didi will kein Kind. Er will frei sein. Er hat Angst, dass sich mit einem Kind alles ändert. Natürlich würde sich etwas ändern. Aber muss sich nicht immer etwas ändern, damit es lebendig bleibt?
Elf Jahre sind sie jetzt schon zusammen. Sie haben sich im Bochumer Theater kennengelernt. Alix hatte sich nach dem Abitur für die Filmhochschule beworben, und für die Wartezeit ein Theaterpraktikum angenommen. Es war ihr erster Tag. Sie hatte sich auf der Suche nach der Intendanz auf eine Bühne verirrt.
"Vorsicht!", schrie jemand. Und da sauste auch schon eine Latte unmittelbar vor ihr auf den Boden. Also sie nach oben sah, entdeckte sie Didi. Er saß im Theaterhimmel wie ein Mastjunge auf der Gorch Fock und grinste von einem Ohr zum anderen.
"Das kostet ein Bier."
"Was?! Ich soll ein Bier bezahlen, wo Sie mich beinahe umgebracht haben?"
"Klar. Wenn du tot wärst, ging es ja nicht mehr", hatte

er geantwortet.
Alix schmiegt ihren Kopf ans warme Katzenfell. Doch Lenin lässt es sich nur kurz gefallen. Er streckt sich, springt auf den Boden und läuft auffordernd in Richtung Küche. Alix gibt nach und erhebt sich. Da kommt auch die zweite Katze von irgendwoher, maunzt und wieselt ihr zwischen die Füße. Alix öffnet eine Dose mit Katzenfutter und lässt die Jahre mit Didi Revue passieren.

Es war Liebe auf den ersten Blick. Alix, die frischgebackene Abiturientin und Didi, der Schulabbrecher, der Beleuchter mit den starken Muskeln, mit zum Pferdeschwanz gebündelten Locken und diesem unwiderstehlichen Grübchen im Kinn. Der ersten spielerischen Phase folgte eine Trennung. Als Alix an der Filmhochschule angenommen wurde und nach Berlin zog, einigten sie sich auf das Ende der Beziehung und ließen sich gegenseitig frei. Doch Didi machte den Führerschein, kaufte sich von seinem Geld ein altes Auto, und saß eines Abends vor der WG-Tür. Bei seinem Anblick wurde Alix klar, wie sehr sie ihn vermisst hatte. In der Folgezeit fuhr Didi unzählige Male die Strecke von Bochum nach Berlin, bis er Beleuchter an der Schaubühne wurde, zu ihr in die WG zog und sein Abitur nachmachte. Klar, dass er Alix bei ihren Studentenfilmen half. *Geht nicht, gibt's nicht* war sein Spruch. Und

bald wollten alle Studenten ihn dabei haben. So lernte er nebenbei den Beruf des Aufnahmeleiters, und wurde schließlich Produktionsleiter.
Das Angebot einer Festanstellung im WDR kam für beide zur rechten Zeit. Die Aufregung um Alix´ Abschlussfilm hatte sich gelegt und sie wusste nicht so recht, wie es weitergehen sollte. Mit Jobs sah es in der Inselstadt Westberlin eher mau aus. So war sie dafür, dass Didi die Stelle in Köln annahm.
Zum ersten Mal hatten sie eine ganze Wohnung für sich. Damit waren sie ganz offiziell ein Paar, wenn auch weiterhin ohne Trauschein. Der frisch verwitwete Vater von Alix freute sich, seine Tochter wieder in der Nähe zu haben, und arrangierte sich überraschend leicht mit den neuen Moralvorstellungen der Jugend. Er schenkte dem Paar zum Einzug einen Gutschein für Möbel. So wurde die Kleiderstange im Schlafzimmer durch einen ordentlichen Schrank ersetzt. Die Matratze bekam einen Unterbau und wurde zu einem richtigen Bett.
Alix gießt ihren Kräutergarten auf dem Fensterbrett. Auch die Efeu-Tute, die sich rund um den Essplatz in der Küche ringelt, bekommt Wasser. Und da sie nun schon mal dabei ist, soll auch der Philodendron im Wohnzimmer etwas abbekommen. Riesig ist er geworden. Er nimmt ein Drittel des Raumes ein. Alix stellt den Plattenspieler an und lässt sich in einen der gemütlichen Sessel vom Sperrmüll fallen. Der Fern-

seher steht immer noch auf dem Fußboden. Ein bisschen Improvisation muss sein. Die Holzdielen haben sie in Gemeinschaftsarbeit abgezogen. Sie müssten mal wieder geölt werden. Alix legt Musik auf. Das Cologne Concert entfaltet seine unwiderstehlichen Klänge. Anstatt Für-und-Wider-Listen zu Sokrates und dem Frauenprojekt zu machen, überlässt Alix sich der Klaviermusik von Keith Jarrett. Sie schließt die Augen. Als sie sie wieder öffnet, dämmert es. Alix´ Gesicht spiegelt sich in der Scheibe. Sie streckt sich die Zunge raus. Sie könnte den Vorhang zuziehen. Aber dafür müsste sie aufstehen. Den langen Samtvorhang hat noch ihre Mutter genäht, blickdicht, für das Zimmer in der Berliner WG. Eigentlich hatte Alix keinen Vorhang gewollt. Vorhänge galten als oberspießig. Aber in diesem Punkt hat sich die Mutter durchgesetzt. Alix sieht sie noch vor sich, wie sie mit ihrer frischen Dauerwelle in der Gemeinschaftsküche stand, tapfer die Apfelsinenkistenregale lobte und über die unordentlichen Bärte der Mitbewohner hinwegsah. Nur dass die Nachbarn freien Blick hatten auf Alix´ Bett, das ging ihr wirklich zu weit. Sie maß das Fenster aus und schickte mit dem nächsten Paket einen Vorhang.
Jetzt hängt er in der Kölner Wohnung, und Alix möchte ihn nicht missen. Er hat etwas von einem Theatervorhang. Prasselnder Schlussapplaus bringt Alix dazu aufzustehen und den Plattenspieler abzustellen.

Sie geht zurück in ihr Arbeitszimmer. Mit wem könnte sie reden? Sie blättert ziellos in ihrem Adressbuch, stolpert über den Namen Hans Christian Beckl und wundert sich, dass sie seine Telefonnummer hat. So gut kannte sie den Schauspieler eigentlich gar nicht. Wahrscheinlich ist die Nummer sowieso schon längst nicht mehr gültig, denkt sie, während ihr Finger die Ziffern wählt. Dass Beckl sich dann tatsächlich meldet, ist ein kleiner Schock. Alix wird sofort hellwach, fällt in ihr professionelles Ich und erzählt dem Schauspieler Einzelheiten über den Sokratesfilm, die ihr selber noch nicht klar sind. Als sie den Hörer auflegt, haben sie ein Treffen vereinbart. Alix starrt auf das Telefon.
Sonderbar, wie sich manche Dinge von allein entscheiden, quasi ohne aktives Zutun. Da kann man sich schon fragen, wie das so ist mit dem Leben, mit dem Zufall und mit dem freien Willen. Was ist vorherbestimmt und was nicht? Alix gesteht sich ein, dass sie keine Ahnung hat.
Ich weiß, dass ich nichts weiß.
Sie lacht auf. Schon wieder Sokrates! Anscheinend entkommt sie dem nicht.

Privilegien Kompromisse Machtspiele

Alix geht die Gangway hoch und kommt sich bedeutend vor. Fliegen ist für sie immer noch etwas Besonderes. Innerhalb von Deutschland werden nur Berlinflüge vom Sender bezahlt. Das aber umstandslos. Es gilt, die Transitstrecke durch die DDR zu vermeiden.
Alix bedient sich bei den ausliegenden Zeitungen und macht es sich bequem. Der Platz neben ihr ist leer. Nur drei Frauen sitzen in diesem überwiegend von Männern genutzten Flugzeug: Eine Oma mit Hut, eine Frau in gedeckter Businesskleidung, und Alix. Sie ist die Jüngste, ihr knallroter Pullover der einzige Farbfleck. Ansonsten prägen Nadelstreifen und blaugraue Krawatten das Bild. Ein Mann fällt aus dem Rahmen. Er trägt einen cognacfarbenen Cordanzug. Wahrscheinlich ein Intellektueller.
Alix schlägt die Zeitung auf. Die neuen Farbfernseher entwickeln sich zum Hit im Weihnachtsgeschäft. Sie blättert weiter, nichts von Interesse. Erst auf Seite fünf findet sie einen Artikel, der ihre Aufmerksamkeit erweckt: Die französische Nationalversammlung hat die bedingungslose Straffreiheit bei Abtreibung bis zur zehnten Woche bestätigt. Damit sind die Franzosen

definitiv weiter als die Deutschen. In der Bundesrepublik wurde die Fristenlösung gekippt, zugunsten einer komplizierten Indikationslösung. Das war ein Rückschlag. Aber alles in allem war die Kampagne gegen den §218 doch ein Erfolg. Und sie kann behaupten, dass sie mit ihrem Dokumentarfilm dazu beigetragen hat.

Das Flugzeug nimmt Fahrt auf. Alix genießt diesen Moment, wenn sie in den Sessel gepresst wird, wenn das Flugzeug abhebt, wenn sie die gebündelte Energie spürt.

Eine geballte Energie gab es auch in diesem Bus nach Holland. Das war die volle Frauenpower. Alle setzten sich für dieselbe Sache ein. Da gab es keine sozialen Schranken mehr. Die vierfache Mutti saß neben der schwangeren Doktorandin, daneben eine Frau, deren Mann im Knast saß. Sie alle sangen gemeinsam aus vollem Hals. Sie skandierten *Mein Bauch gehört mir!* Eine tolle Stimmung war das.

Die Anschnallzeichen erlöschen. Das Flugzeug hat die Reisehöhe erreicht. Die Stewardess schiebt ihren Wagen durch den Gang. Alix weiß schon, was sie bestellen wird. Wann immer sie die Chance hat zu fliegen, lässt sie sich Tomatensaft mit Worcestersauce geben.

Sie rührt die dunklen Schlieren mit dem Strohhalm ins Rote und genießt das leise Klackern der Eiswürfel. Sie

trinkt andächtig, lässt den Blick von oben über die Wolken schweifen und fühlt sich privilegiert.
Auch in diesem Bus nach Holland war sie privilegiert. Sie wollte weder abtreiben, noch ist sie als Demonstrantin mitgefahren. Sie hat das Ganze gefilmt und wurde dafür auch noch bezahlt. Natürlich stand sie voll hinter der Sache. Sie war gegen den §218 und ihr Beitrag war sehr engagiert. Aber bei der STERN-Aktion hat sie nicht mitgemacht.
Sie hatte nicht abgetrieben. Deshalb wollte sie nicht behaupten, sie hätte. Darum gehe es nicht, wurde ihr vorgehalten, es gehe um Solidarität. Aber Alix wollte nichts sagen, was nicht stimmte, schon gar nicht öffentlich. Das wurde ihr übel genommen. Danach gehörte sie nicht mehr zum engen Kreis. Für die Aktivistinnen war ihre Unterschriftsverweigerung nicht wahrheitsliebend, sondern feige und unsolidarisch.
Die Wolken sehen aus wie Schneeberge. Tiefe Schluchten, unüberwindliche Gräben. Alix schlürft den letzten Saft zwischen den Eisklümpchen heraus, und überlegt, wie frauenbewegt sie ist. Für emanzipiert hält sie sich, auch für engagiert. Aber eine Kämpferin ist sie eher nicht. In diesem Flugzeug sitzt sie, weil sie sich bereit erklärt hat, einen Film über einen berühmten Mann vorzubereiten, statt einen über verkannte Künstlerinnen. Ist das realistisch oder kompromisslerisch?
Alix stellt ihr Glas beiseite und zieht ihr Ringbuch aus

der Tasche. Besser, sie fokussiert sich auf das, was ansteht, das Gespräch mit dem Schauspieler.

Hans Christian Beckl zeigt sich genauso sperrig wie sein Ruf. Er lässt eine Philippika gegen das After-Medium Fernsehen los und geht dabei in seiner dämmrigen Wohnung auf und ab. Alix verteidigt den Sender. Sie nennt einige bemerkenswerte Produktionen. Da er keine einzige von ihnen gesehen hat, gerät er in die Defensive. Er habe keine Zeit, das Programm zu verfolgen. Er stehe abends auf der Bühne! Trotzdem habe er mitbekommen, wie das Medium seine Kollegen korrumpiere.
"Die merken gar nicht, wie lächerlich sie sich machen mit ihren Schmonzetten."
Alix kontert, dass Sokrates eher nicht schmonzettenverdächtig sei. Sie erinnert Beckl daran, dass sie gar nicht hier wäre, wenn sie ihn nicht im *Phaidon* gesehen und ganz außerordentlich gut gefunden hätte.
Der Künstler nimmt das Kompliment schweigend entgegen. Dann fragt er Alix, ob sie einen Kaffee wolle.
Sie will.
Das Ritual des Kaffeemachens findet ohne Worte statt. In ihrer Assistentenzeit am Theater hatte Alix Gelegenheit, Regisseure bei ihren Machtspielchen zu beobachten. Daher weiß sie, dass Schweigen oft wirksamer ist als die Wiederholung von Argumenten. Es fällt ihr

nicht leicht, die Stille auszuhalten. Aber sie ermahnt sich, Geduld zu haben, Zuschauerin zu bleiben und abzuwarten, bis sich der Wasserdampf durch die kleine Espressokanne nach oben gestrudelt hat, die Gasflamme wieder abgestellt und der Kaffee auf zwei kleine Tässchen verteilt ist.
"Zucker?"
"Ja bitte."
Er schiebt eine verklebte Dose über den Tisch. Alix schippt sich drei Löffel Zucker in die schwarze Brühe. Der Schauspieler kippt den Espresso schwarz und nimmt seine Wanderung wieder auf.
Vor den Samtportieren, die, in der Mitte gerafft, nur wenig Helligkeit in den Raum lassen, bleibt er stehen. Vermutlich weiß er, dass das Gegenlicht seine Kontur mit einem Silberstift nachzeichnet. Einer wie Hans Christian Beckl ist sich seiner Wirkung immer bewusst.
Natürlich sei es reizvoll, sich mit einer Figur wie Sokrates auseinanderzusetzen, sagt er nun, egal in welchem Medium. Von daher könne er sich unter Umständen darauf einlassen.
Alix registriert einen kleinen Fortschritt und sagt weiterhin nichts.
So präzisiert er die Umstände, die er sich vorstellt.
"Beim *Phaidon* hatten wir einen Philosophen dabei, Dr. Wollmann, aus Hamburg, ein kluger Mensch. Wenn der mit im Boot wäre, dann könnte ich es mir überlegen."

Alix nickt nachdenklich. Als Nicht-Philosophin ist ihr eine fachliche Unterstützung im Prinzip willkommen. Sie werde es gerne vorschlagen, sagt sie, wisse allerdings nicht, wie der Redakteur dazu stehe. Immerhin seien es zusätzliche Kosten. Sie notiert Namen, Adresse und Telefonnummer des von Beckl genannten Philosophen.

"Nur, um das noch einmal festzuhalten, ich habe Sie richtig verstanden, wenn Dr. Wollmann dabei ist, dann spielen Sie den Sokrates?

Er streicht sich mehrfach über das Kinn, sieht Alix zögernd an, dann streckt er ihr entschlossen die Hand hin. Sie ergreift sie. Das hat Vertragsqualität. Im Theater gelten die alten Pferdeverkaufsregeln.

"Das freut mich sehr", sagt Alix, und fragt, ob sie das Telefon des Schauspielers benutzen darf, um sich eine Taxe zu bestellen. Die verbleibenden Minuten bis zum Klingeln des Taxifahrers verbringen sie mit Small Talk. Sie erkundigt sich nach einem gemeinsamen Bekannten und erfährt, dass er gerade als Dramaturg für die Schaubühne tätig ist. Sie bittet, ihm Grüße auszurichten. Das will der Schauspieler gerne tun. So gibt es ein weiteres verbindendes Element.

"Und wegen des Philosophen, ich denke, das kriege ich hin", sagt Alix zum Abschied.

Trau keinem über dreißig

Zu Hause wartet schon wieder einer dieser großen Umschläge der Kanzlei Landolt und Zeller auf Alix. Es läuft nicht gut mit der Erbschaftsauseinandersetzung. Alix hat sich juristischen Beistand geholt, im Bestreben, sich zu entlasten. Doch genau das hat der Vetter ihr übelgenommen. Er hat das Hinzuziehen einer eigenen Anwältin als Misstrauensvotum empfunden.
Alix überfliegt das neue Schreiben und stöhnt. Wenn sie es richtig versteht, macht der Vetter schon wieder einen Rückzieher. Der neue Entwurf fühlt sich wieder schlechter an als der vorherige. Bisher hat Alix geglaubt, dass Zahlen etwas Objektives sind. Doch nun stellt sie fest, dass sie sich dauernd verschieben. Die Begründungen dazu sind ein Dickicht komplizierter Formulierungen.
Vielleicht sollte sie den gordischen Knoten zerschlagen und Carl einfach anrufen. Sie greift zum Hörer. Doch nachdem sie die zweite Ziffer gewählt hat, verlässt sie der Mut. Was soll sie ihm sagen? Von der Sache versteht sie nichts. Deswegen hat sie sich ja die Anwältin

genommen. Und ansonsten? Carl hat ja recht, wenn er denkt, dass sie ihm nicht vertraut.
Sie könnte auf der Stelle einschlafen. Woher kommt diese plötzliche Müdigkeit? Halb sieben, noch nicht mal Abend. Alix gibt sich einen Ruck und wirft den kleinen Tischkopierer an. Sie wird den ganzen Mist kopieren und an ihre Anwältin schicken, dann ist sie ihn erst einmal los. Sie entfernt die Klammer vom Vertragsentwurf und legt das erste Blatt ein.
Viel nützen wird es wohl nicht. Ihre wohlmeinende Gewerkschaftsanwältin ist der ausgebufften Wirtschaftskanzlei des Vetters nicht gewachsen.
Diese Kanzlei hat schon den Vater von Carl beraten. Und Carls Vater hat schon ihren Vater reingelegt. Wie, wo, wann und warum weiß Alix nicht so genau. Das liegt im selben Nebel wie Vaters Animosität gegen Tante Axel.
Wann immer sie nachfragte, bekam sie Antworten, die keine waren. Manchmal verfiel der Vater ins Kölsche und machte eine abfällige Bemerkung über *dat anjehierot Gemölsch*, die angeheiratete Familie. Das wurde von einem Lachen begleitet, so als sei es ein Witz. Und schon war die rheinische Fröhlichkeit wieder hergestellt. Man konnte sich anderen Themen widmen. Etwa der Frage, ob die frühen Erdbeeren aus dem Supermarkt schon für eine Bowle taugten, oder ob man die aus dem Garten abwarten solle.

Das Telefon läutet. Alix nimmt ab.
"Hallo Paps."
Wenn man an den Teufel denkt, schon ruft er an. Nicht dass ihr Vater ein Teufel wäre, nein, überhaupt nicht. Er ist ein verträglicher, liebevoller Vater, einer, der schon mal poltert, aber nie böse ist. So wie ein Hund, der bellt, aber nicht beißt. Klar, dass er manchmal nervt. Aber welche Eltern tun das nicht. Jetzt will er wissen, wann sie weitermachen können mit der Filmüberspielung.
"Gar nicht!" schreit Alix auf, so gequält, dass die Katzen erschrocken davonspringen. Sofort mäßigt sie sich und entschuldigt sich. Sie habe einen neuen Auftrag, ganz kurzfristig, sie komme gerade aus Berlin zurück und habe noch nicht mal ausgepackt... Während sie redet, klemmt sie sich den Hörer zwischen Kopf und Schulter und kopiert weiter. Die effiziente Alix ist zurück, eine die kopieren und gleichzeitig vom Sokratesprojekt erzählen kann.
"Sorry Paps, aber so ist das im Leben einer Freiberuflerin, erst wochenlang Flaute und dann überschlägt sich alles. Sozusagen Prinzip Ketchup: Entweder, es kommt gar nichts aus der Flasche, oder der ganze Teller ist voll."
Der Vater versteht ihre Lage. Trotzdem hört er sich so enttäuscht an, dass Alix ihn zum Ausgleich für ihre Absage für Heiligabend einlädt. Erst als er begeistert

zusagt, und dann auch gleich noch plant, im Gästebett zu übernachten, weil er sonst nichts trinken könne, wird ihr klar, was sie sich da eingebrockt hat.
Der 24. Dezember ist Didi heilig. Seit sie in Köln sind, begehen sie den Heiligen Abend in trauter Zweisamkeit. Alix versucht, vorsichtig zurückzurudern. Aber der Vater hat eine ausgeprägte Fähigkeit, nur das zu hören, was er hören will.
"Ich bringe den Rotwein mit", verkündet er. "Ich hab noch eine Kiste vom 67er Bordeaux im Keller. Ein Jahrhundertjahrgang. Der müsste jetzt auf dem Höhepunkt sein."
Die Katzen versammeln sich vor der Wohnungstür. Kurz darauf ertönt Didis Klingelzeichen, dreimal kurz.
"Ich muss Schluss machen", sagt Alix zum Vater. "Wir reden da noch mal drüber, ja?"

Didi hat extrem gute Laune. Die Hamburger Firma hat ihm einen Probedreh angeboten. Er soll einen dreitägigen Außen-Dreh in Amsterdam organisieren. Das müsse gefeiert werden, findet er und stellt eine Flasche Sekt kalt. Alix hat Bedenken.
"Und was sagt der WDR dazu?" fragt sie.
"Der kriegt das gar nicht mit", meint er unbekümmert und strahlt vor Vorfreude. Amsterdam, das ist seine Stadt. Dort ist er nach einem kurzen Intermezzo als Schiffsjunge gelandet. Dort hat er nicht nur Niederlän-

disch gelernt, sondern auch kiffen und sonst noch so allerlei.
"Ich nehme einfach Urlaub."
"Und wenn das raus kommt?"
"Das kommt nicht raus. - Jetzt guck nicht so wie ein Oberbedenkenträger."
Alix stellt Abendbrotteller auf den Tisch.
"Und wann soll das sein?"
"Erst im Januar. Keine Sorge, zu Deinem Geburtstag bin ich hier."
"Aber ich vielleicht nicht. Kann sein, dass ich nächste Woche nach Hamburg muss."
"Wieso das denn?"
"Ich soll den Philosophen treffen."
"Aber nicht an Deinem Geburtstag!"
"Warum nicht? Ich will den sowieso nicht feiern."
"Den musst du feiern, das ist ein runder Geburtstag."
"Eben."
Didi begreift nicht, was sie meint.
"Trau keinem über dreißig."
Didi lacht.
"Daher weht der Wind."
"Du hast gut lachen. Du hast ja noch ein Jahr Zeit, du Küken."
"Gogogook!"
Didi gackert, zieht Alix hoch und tanzt mit ihr in der Küche herum.

"Die Henne wird alt, die Henne wird alt!"
"Blödmann."
Alix entzieht sich ihm.
"Und pünktlich zu diesem schrecklichen Geburtstag erbst Du auch noch ein Vermögen!" spottet er weiter. "Wenn das nicht der Anfang vom Ende ist."
Er lacht noch lauter. Da wirft sich Alix mit dem Kopf gegen seine Brust und trommelt mit den Fäusten auf ihn ein. Ohne viel Erfolg. Didi wirft sie einfach über seine Schulter und trägt sie zum Bett. Dort verwandeln sie ihre Aggressionen umstandslos in Lust.

Nach dem zweiten Mal verlangsamen sie ihr Tempo. Didi beschäftigt sich träumerisch mit den Hügeln und Tälern ihrer Körperlandschaft und kommt auf eine Idee.
"Wir feiern einfach in Hamburg, bei Max."
Alix versteckt ihren Kopf in seiner Achselhöhle.
"Hm. – Du weißt schon, dass jetzt Winter ist?" murmelt sie.
"Was hast Du gesagt? Ich kann Dich gar nicht verstehen."
"Kannst Du wohl."
Sie zerrt an seinen Brusthaaren.
"Eih, das tut weh."
Er fährt mit den Fingern in ihre noch überschwemmte Vagina und bringt sie erneut zum Keuchen. Dann reißt

er sie herum, setzt sie auf sich, und die wilde Jagd beginnt von vorn.
Als sie befriedigt nebeneinanderliegen, fällt Alix ihre unselige Heiligabendeinladung ein. Sie überlegt, wie sie es Didi am besten beibringen soll, und erkundet nachdenklich die Windungen seiner Ohren.
Er hält ihre Hand fest.
"Wenn du willst, dass er nochmal steht, dann fummelst du am falschen Ort."
Alix wirft sich auf den Rücken und verschränkt ihre Hände hinter dem Kopf.
"Ich muss dir etwas gestehen", sagt sie.
Er sieht sie prüfend an.
"Bist du fremd gegangen?"
"Nein, aber mein Vater..."
"Was!? Du bist mit deinem Vater fremd gegangen! Das geht nun aber wirklich zu weit. Da muss ich dich übers Knie legen."
"Nicht! Lass!", quietscht Alix.
Die Körper übernehmen wieder, bis sie erschöpft auseinanderfallen.

Am Morgen wird Didi als Erster wach. Er tapert in die Küche, trinkt ein Glas Wasser auf ex, füllt nach. Er weckt Alix, indem er das kühle Glas gegen ihre schlafheiße Haut hält. Sie fährt auf und schlägt um sich. Das hat er einkalkuliert und weicht ihr geschickt aus.

"Probier mal, Wasser tut gut."
Alix trinkt. Sie gibt ihm das leere Glas zurück, lässt sich in die Kissen fallen.
"Danke."
"Du wolltest mir gestern etwas gestehen, aber irgendwie sind wir dann nicht mehr dazu gekommen. Wir waren wohl abgelenkt." Er grinst.
"Uff," stöhnt Alix.
"Na komm. So schlimm wird es schon nicht sein."
"Wohl."
"Spuck´s aus."
"Ich hab ihn für Heiligabend eingeladen."
"Wen?"
"Meinen Vater."
"Wieso das denn?"
Didi ist entsetzt.
"Er hat mir leid getan."
"Und was ist mit mir? Tu ich dir nicht leid?"
"Doch. – Und ich mir auch."
"Wieso du dir auch?"
"Ja, glaubst du, ich hab Lust, den Heiligabend mit meinem Vater zu verbringen?"
Didi geht zum Fenster. Alix betrachtet seinen schmalen Hintern über muskulösen Beinen.
"Er war so enttäuscht, dass ich vor Weihnachten keine Zeit mehr für die Familienfilme habe. Da ist es mir ein-

fach rausgerutscht. Und jetzt weiß ich nicht, wie ich das rückgängig machen soll."
Didi schweigt. Kleinlaut fährt sie fort:
"Das Schlimmste ist, er hat auch noch angekündigt, dass er über Nacht dableiben will, damit er was trinken kann."
Nun dreht sich Didi zu Alix um, präsentiert ihr mit anzüglichem Blick seine Morgenlatte, und nähert sich ihr aufreizend langsam.
"Eh, das ist aber nicht jugendfrei."
"Strafe muss sein."
Als er später ausgepowert neben ihr liegt, ist er versöhnlich gestimmt.
"Wenn wir deinen Vater nicht mehr ausladen können, dann treten wir halt die Flucht nach vorn an."
"Soll heißen?"
"Wir laden Mutti und Tantchen ebenfalls ein."
"Bist du sicher? Die kennen sich doch überhaupt nicht."
"Dann lernen sie sich eben kennen."

Hamburg

U-Bahnstation Klosterstern. Alix steigt die Treppe hoch und versucht, sich zu orientieren. Natürlich hat sie den falschen Ausgang genommen. Nun muss sie einmal rund um den Platz zum Jungfrauental. Es dämmert schon.
Der Nachmittag mit dem Philosophen ist anstrengend gewesen. Ein seltsam unkörperlicher Mensch, dieser Dr. Wollmann. Didi würde ihn als Staubtüte bezeichnen. Aber seine Augen waren äußerst agil. Er sprach so leise, dass sie sich vorneigen musste, um seine Worte rein akustisch zu verstehen. Vom Inhalt gar nicht zu reden. Sie hatte versucht, seine komplizierte Ausdrucksweise in allgemein Verständliches zu übersetzen, mit dem Erfolg, dass sie sich laut und überengagiert vorgekommen war. Der verfeinerte Philosoph und die plumpe Journalistin. Sie schüttelt sich.
Was sie aus der Begegnung machen kann, wird sie sehen, wenn sie die Bänder abhört. Jetzt beginnt der angenehme Teil des Tages.
Da ist die Hochstraße. Hier muss sie links abbiegen, und dann die nächste rechts, in die Innocentiastraße. Schön sanierte Jugendstilhäuser, wohin man blickt. Die

Bomben sind im Krieg anscheinend auf die weniger edlen Viertel gefallen. Oder ist alles restauriert worden? Jedenfalls sind die Simse und Fassaden in hanseatisch geschmackvollen Grau- und Gelbstufen aufeinander abgestimmt. Die Kölner mögen es bunter. Sie streichen ihre Häuser schon mal knallgrün und lila. Das Licht, das aus Bilderbuchfenstern dringt, wirkt heimelig. Alix erliegt der Illusion, dass dahinter glückliche Menschen wohnen.

Sie steigt die Stufen zu einem geschwungenen Holz-Glas-Portal hoch und klingelt bei Jensen. Es summt, die Tür geht auf. Der Sisalläufer über der breiten Holztreppe ist ramponiert, aber er dämpft die Schritte. Anders als der nackte Pressstein vor ihrer Kölner Wohnung.

"Hallo!"

Meike wartet, umrahmt von ihren Töchtern, in der Wohnungstür.

"Seid ihr groß geworden", entfährt es Alix.

Prompt dreht sich die Größere um und rennt weg. Die kleine Nina verbirgt sich hinter dem Bein der Mutter.

"Oh Gott", sagt Alix, "ich höre mich an wie meine eigene Mutter. Ich glaube, ich wäre auch weggelaufen."

Meike lacht.

"Jetzt komm erst mal rein. Max und Didi sind in der Küche, vorglühen. Das Huhn musste mit Weißwein begossen werden..."

"Verstehe."
"Bis gleich. Wir müssen noch die Zähne putzen."

In der Küche wird Alix von einer Luftballon-Dreißig, einer Geburtstagsgirlande und einem großen Hallo empfangen. Max intoniert *Happy Birthday*. Alix verzieht das Gesicht.
"Nicht auch noch draufhauen!"
"Alix hegt seit Neuestem eine Altersphobie", spöttelt Didi.
"Quatsch!" widerspricht Alix. "Aber wer wird schon gern dreißig. Mit zwanzig ist noch alles drin, aber..."
"Oh, du Arme! Darf ich Dir ein Geheimnis verraten?"
Max umarmt sie.
"Hm."
Sie schmiegt sich in seine Achselhöhle und stellt fest, dass er immer noch dasselbe Rasierwasser benutzt.
"Ich bin schon einunddreißig."
"Weiß ich doch."
"Und mir geht es besser denn je!"
Alix macht sich los, holt sich ein Wasserglas aus dem Küchenschrank und fühlt sich angesichts der vertrauten bauchigen Form in alte Zeiten zurückversetzt. Sie füllt das Glas am Wasserhahn.
"Das gute Senfkristall. Unverwüstlich."
"Na ja, die Kinder kriegen es schon kaputt, aber es wächst ja nach."

Alix leert ihr Glas in einem Zug, und stellt es in der Spüle ab.
"Jetzt erzähl mal, wie war es mit deinem Philosophen?"

"Uff." Alix fährt sich mit der Hand durch die Haare.
"Irgendwie habe ich es im Moment mit lauter Leuten zu tun, die Fremdsprachen sprechen. Erst diese Juristen und jetzt noch dieser..."
"Hallo! Da will jemand Gute Nacht sagen."
Die fünfjährige Caro und die zweijährige Nina kommen im Nachthemd in die Küche. Caro baut sich vor Alix auf.
"Mama hat gesagt, du liest uns heute vor."
"Klar, gerne."
Alix folgt den beiden ins Kinderzimmer.
Zuerst ist die Geschichte von der *Raupe Nimmersatt* dran. Alix stopft sich ein Kissen in den Rücken, und beginnt zu lesen. *Nachts im silbernen Mondlicht lag ein kleines Ei auf einem Blatt...*
Die Fremdheit verfliegt, und schon bald schmiegen sich die Mädchen vertrauensvoll an die Vorleserin. Die kleine Raupe frisst sich am Dienstag durch eine Birne, am Freitag durch fünf Orangen und am Samstag durch Schokoladentorte, Schweizer Käse, Würstchen und sonst noch so allerlei.
"Was mögt ihr denn am liebsten?" fragt Alix.
"Kakao", sagt Nina.

"Aber Kakao kann man nicht essen!"
"Wohl!"
"Bananen isst man, du Dummi", wird sie von Caro belehrt. "Kakao trinkt man."
Sie fangen an zu rangeln.
"Eigentlich habt ihr beide recht", versucht Alix zu vermitteln. "Kakao ist nämlich erst einmal eine Frucht, und bis man den Kakao trinken kann..."
"Aber Raupen trinken nicht, die fressen nur!", trumpft Caro auf.
"Da bin ich mir nicht so sicher. Vielleicht trinken sie morgens die Tautropfen von den Blättern, so." Alix schlabbert mit der Zunge in die Luft. Die Mädchen tun es ihr nach.
"Genau. Aber nur so lange, bis sich die Raupe verpuppt. Dann kann sie nämlich nichts mehr essen und auch nichts mehr trinken. Und bald ist es gar keine Raupe mehr, sondern ein...?"
Die Antwort kommt im Chor.
"Schmetterling." – "Metterling."
Es folgt ein Buch für Größere. Danach noch eins für Nina, und dann tut Alix so, als wäre sie eingeschlafen. Sie beginnt zu schnarchen. Da wird an ihr gerüttelt und gezogen, ein Spiel, das in einer fröhlichen Toberei endet und die Mutter auf den Plan ruft.

"Na, haben die Kinder dich geschafft?", fragt Max.

"Die sind echt süß."
Alix wirft Didi einen herausfordernden Blick zu, den dieser ignoriert.
Max holt die Hähnchenplatte aus dem Backofen, und stellt im Gegenzug Meikes Teller in den Ofen.
"Erfahrungsgemäß kann es dauern, bis sie wieder da ist", erklärt er. "Wein?"
"Gern." Alix hält ein langstieliges Glas in die Höhe. Licht bricht sich in dem schweren Kristall.
"Wow! Seit wann habt ihr denn so etwas?"
Max zuckt mit den Schultern.
"Ein Geschenk meiner Schwiegereltern. Denen hat der Wein aus unseren Senfgläsern nicht geschmeckt."
"Und was sagen deine Schwiegereltern dazu?"
Alix zeigt auf das Plakat mit der Aufschrift: *Deutsche Arbeiter, die SPD will Euch eure Villen im Tessin wegnehmen.*
"Gar nichts. Staeck läuft unter Kunst. Außerdem haben sie keine Villa im Tessin."
"Nur ein Reetdachhaus auf Sylt", frotzelt Didi.
Gelächter.
"Siehst du", sagt Didi zu Alix, "Reichtum ist kein Grund, sich Sorgen zu machen!"
"Blödmann!"
Max sieht von ihr zu Didi und zurück.
"Hab ich was verpasst?"
Didi grinst.

"Alix erbt gerade, und jetzt hat sie Angst, dass sie dadurch zum Monster mutiert."
"Quatsch!", fährt Alix ihn an.
Max ignoriert das Geplänkel und macht einen Vorschlag.
"Also, wenn Du Geld übrig hast, dann hätte ich eine hervorragende Investitionsidee. Hier im Haus wird gerade alles in Eigentumswohnungen umgewandelt. Wir haben unsere auch schon gekauft. Du ziehst mit Didi nach Hamburg und wir können gegenseitig unsere Kinder Babysitten."
Seine Begeisterung fällt in ein Loch. Didi will keine Kinder, und Alix fragt sich, ob Didis Hamburgpläne schon weiter gediehen sind, als er ihr gesagt hat. Max versteht das Schweigen falsch und will die beiden überzeugen.
"Ihr braucht nur einen Sattelbetrag, den Rest macht ihr über die Bank. Der Kredit ist nicht viel teurer als die Miete, und am Ende gehört Euch das Ganze."
Alix sieht ihn fassungslos an. Dieser Max, der sich mit Bankkrediten und Wohnungskauf auskennt, passt nicht zu dem Bild, das sie von ihm hat. Er spürt ihre Abwehr.
"Ist bloß vernünftig", meint er lahm.
"Klar, wenn man Kinder hat, muss man so denken", stimmt Didi ihm zu.
Er wirft Alix einen herausfordernden Blick zu. Sie hört

den Gedanken, den er nicht ausspricht: Kinder sind der Anfang vom Ende.
Die Rückkehr von Meike verhindert eine weitere Debatte. Sie will Alix jetzt, wo sie endlich alle zusammen sind, noch einmal ordentlich gratulieren. Als das Happy Birthday verklungen ist, werden Anekdoten aus der Berliner WG-Zeit aufgewärmt. Sie schwelgen in Erinnerungen.
"Wisst ihr noch, wie wir durch die Leiter aufs Dach gestiegen sind?"
"Kiffen mit Blick auf Todesstreifen und Stacheldraht"
"Schon pervers"
"Aber geil."
"Der Sternenhimmel da oben war gigantisch."
"Was hast du denn in Erinnerung?"
"Die DDR-Scheinwerfer waren viel heller als die Sterne."
"Ach du immer."
"Der eine Wachturm war echt nah."
"Aug in Auge mit der Staatsmacht."
"Die Grenzer fanden das gar nicht lustig."
"Erst recht nicht, als Du ihnen den Mittelfinger gezeigt hast."
"Da hat der tatsächlich die Knarre auf uns gerichtet."
"Und du hast dich vor lauter Schreck flach hingeschmissen."
Max lacht dröhnend. Meike wehrt sich.

"Für Euch war das vielleicht normal, aber ich war ja nur zu Besuch da."
"Meike hat recht", kommt Alix ihr zu Hilfe. "Wir waren absolut in Schussweite."
"Deswegen war die Wohnung ja auch so billig. Wer wollte schon direkt an der Mauer wohnen."
"Außerdem war es saukalt. Es zog an allen Ecken und Enden."
"Aber der Kachelofen war gemütlich. Wenn ich an unsere Bratapfelsitzungen denke."
"Obwohl, auf die Kippen zwischen den Essensresten hätte ich verzichten können."
"Und ich auf die Geschirrberge!"
"Deswegen gab es ja den Orgaplan."
"Der hat nur nicht viel genützt."
"Doch, sehr viel!"
"He?"
"Als perfektes Beispiel für die Diskrepanz zwischen Theorie und Praxis."
Allgemeines Gelächter.
"Mann, waren wir bescheuert! Arbeiter befreien, die gar nicht befreit werden wollten."
Jeder hängt seinen eigenen Gedanken nach. In der Stille, die nun eintritt, hört man die Kinder streiten.
"Du bist dran." Meike sieht auffordernd zu Max.
Doch Max lehnt sich zurück und lacht.

"Tja, so hört sich die Hormonstörung fünf Jahre später an."
"Genau!" Alix lacht. "Das hatte ich schon beinahe vergessen, die Hormonstörung, die plötzlich Herztöne bekommen hat!"
"Dieser Idiot von Arzt!" Meike ist immer noch wütend. "Ich darf gar nicht dran denken, was alles hätte passieren können."
"Hätte können, ist aber nicht."
"Zum Glück."
"Auf die Hormonstörung!"
Sie lassen die Gläser klingen.
"Das war echt der Running Gag in der WG."
"Jeder, der ein Wehwehchen hatte – erst mal die Diagnose: Hormonstörung."
"Ach nee, guck mal da ist sie, einen Meter groß!"
Die Erwachsenen brüllen vor Gelächter.
Caro steht verschüchtert im Türrahmen.
"Ich kann nicht schlafen", sagt sie mit klagendem Stimmchen.
"Na, dann komm mal her."
Max packt seine Tochter unter den Arm und expediert sie in Richtung Schlafzimmer. Meike stellt die Teller ineinander. Eingespielt wie in früheren Zeiten machen sie klar Schiff,.
"So ein schöner Geburtstag", sagt Alix. "Danke."
"Da nich für."

Kreative Umwege

Am nächsten Tag fährt Didi mit dem Auto weiter nach Amsterdam. Alix nimmt den Zug zurück nach Köln. Sie hat Glück und findet ein Abteil für sich. Sie macht es sich bequem, zieht die Schuhe aus und legt die Füße auf den gegenüberliegenden Sitz.
Draußen fahren Industrieanlagen vorbei, eine Landschaft zum Wegsehen. Gut zum Arbeiten. Womit soll sie anfangen, mit Sokrates oder mit der Erbauseinandersetzung? Der Termin mit der Anwältin ist gleich nach der Ankunft in Köln. Wahrscheinlich ist es am besten, wenn sie den Vertrag erst kurz vorher liest, dann hat sie ihn frisch im Kopf. Also Sokrates.
Sie breitet ihre Unterlagen aus. Sie hat noch kein Konzept für den Film, dafür viele lose Enden. Sie betrachtet ihr Ringbuch mit den Notizen, die Apologie, die Bücher. Vielleicht fängt sie mit den Romanen an. Zu ihrer Verwunderung hat sie in der Bibliothek einige Romane zu Sokrates gefunden. Die lasen sich so weg, waren aber natürlich keine solide Quelle. Trotzdem hat sie alle Stellen, die ihr bemerkenswert erschienen, mit Klebezetteln markiert. Fast alle Sokrates-Romane sind

kurz vor Kriegsende oder danach entstanden. Philosophische Geschichte als Fluchtpunkt, als Trost in düsteren Zeiten.

Vielleicht ergibt sich ein Konzept, wenn sie die markierten Stellen noch einmal liest. Sie zieht einen gelben Zettel ab. Was für eine geniale Erfindung, diese Post its! Eigentlich war es eine Fehlentwicklung. Das weiß sie, weil sie einmal einen Beitrag darüber gemacht hat. Der Chemiker wollte einen Superkleber entwickeln, und heraus kam ein Flop. Der Kleber ließ sich zwar leicht auftragen, aber genauso leicht wieder ablösen. Das Zeug wurde für unbrauchbar erklärt und verschwand in der Rumpelkammer. Bis sich ein Kollege des Erfinders dafür interessierte. Dieser Kollege war nicht nur Chemiker, sondern auch Mitglied in einem Kirchenchor. Er ärgerte sich ständig darüber, dass die Lesezeichen aus den Notenheften davon flatterten. Er strich den missglückten Kleber auf die Papierstreifen und machte so eine Entdeckung, die einen Siegeszug um die Welt antrat.

Mitunter gedeiht Kreativität auf Umwegen am allerbesten. Aber der Roman bringt Alix jetzt trotzdem nicht weiter. Sie klebt den Zettel wieder ins Buch und schlägt es zu. Als erstes muss sie ihr Gespräch mit dem Philosophen abhören. Sie holt das Aufnahmegerät aus der Tasche und spult die Kassette auf Anfang.

Die höflichen Präliminarien entlocken ihr ein Schmunzeln. Sie umkreisen sich vorsichtig, ehe es zur Sache geht. Alix macht sich Notizen und schreibt zu wichtigen Stellen die Bandlänge auf. Nach vierzig Minuten wird es hitzig. Sie widerspricht Dr. Wollmann, stellt nicht nur den abgehobenen philosophischen Jargon, sondern auch seine Sichtweise in Frage.
Sie spult zurück, hört die letzten Minuten ein zweites Mal an. Dabei sieht sie aus dem Fenster, ohne die kahlen Pappeln und weiten Wiesen wahrzunehmen. Auch die Telegraphenstangen rauschen durch ihren Blick, ohne dass sie es merkt. Sie versucht, etwas nicht Sichtbares zu erfassen. Ihre Augen verengen sich, so als gäbe es zwischen dem Fensterrahmen und dem schlierigen Glas etwas, das sie genauer sehen möchte. Sie malt versonnen Kringel um ihre Buchstaben. Das O wird zu einer Blume. Da fährt der Zug um eine Kurve und der Stift zieht ohne das Zutun von Alix einen Strich unter das Wort *Dialog*.
Will der Zufall ihr auf die Sprünge helfen? Alix betrachtet den unordentlichen Strich. In einem Dialog gibt es unterschiedliche Argumente anstelle von nur einer Meinung. Eigentlich weiß ja niemand wirklich etwas über den alten Philosophen. Er hat rein mündlich gearbeitet, selber überhaupt nichts Schriftliches hinterlassen. So gesehen ist ohnehin alles Auslegungssache.

Alix´ Blick geht wieder zum Fenster. Schön dieses Backsteingehöft, das da vorbeifliegt. Sie dreht den Kopf, um es noch etwas länger zu sehen. Jahrhundertealt, der Hof, vermutet sie. Aber er funktioniert noch heute.

Genau! Das muss ihr Ansatz sein. Die Frage ist, was an Sokrates funktioniert noch heute? Dr. Wollmann argumentiert mit der Geschichte. Aber sie will den Philosophen in die Gegenwart holen. Nur das findet sie relevant. Vielleicht ist die weibliche Sicht auf Sokrates anders als die männliche. Das Grundmaterial dazu hat sie hier auf dem Band. Sie muss es nur noch verfeinern.

Euphorisch schlägt Alix ein neues Blatt in ihrem Ringbuch auf und zieht einen Längsstrich über das leere Papier. Über die eine Rubrik schreibt sie *Er*, über die andere *Sie*. Ganz klar: Es wird eine männliche und eine weibliche Sicht auf den Philosophen geben. Ein Mann und eine Frau werden Sokrates in Streitgesprächen umkreisen, die sokratische Methode auf ihn selber anwenden. Heureka!

Alix lehnt sich befriedigt zurück. Der Zug fährt langsamer. Duisburg liest sie auf den Bahnhofsschildern. Was, schon so weit? Dann wird es höchste Zeit, dass sie sich mit dem Vertrag befasst.

Die Tür zu ihrem Abteil wird aufgeschoben. Ein Mann nickt ihr zu, setzt sich auf den Gangplatz und schlägt

seine Zeitung auf. Unwillkürlich liest Alix die Schlagzeilen, die ihr entgegenspringen. *Lebenslänglich für RAF-Mitglied.* Darunter etwas kleiner: *Friedensnobelpreis für Mutter Teresa.* Zwei Versuche, die Welt zu verbessern. Die Methode Gewalt endet im Gefängnis, die Methode Hingabe wird mit einem Preis belohnt.
Erneut geht die Tür auf. Ein Kind springt herein und steuert den Fensterplatz an. Die begleitende Oma bleibt mit vorwurfsvollem Blick vor den ausgebreiteten Büchern stehen. Alix entschuldigt sich und rafft ihre Unterlagen zusammen. Die Oma setzt sich umständlich, packt Butterbrot und Limonade aus. Nach einer Weile kehrt Ruhe ein. Das Kind lutscht friedlich am Strohhalm und sieht aus dem Fenster.
Alix zieht das Vertragswerk aus ihrer Tasche und versucht, zu begreifen, was da steht. Nachdem sie den ersten Absatz dreimal gelesen hat, gelingt es ihr, sich auf die Materie einzulassen. Viel scheint sich nicht geändert zu haben. Neu ist, dass Carl seinen Anteil nun direkt an seine Kinder weitergeben will. Von ihr aus. Seine steuerlichen Trickserеien sind ihr egal.

Später in der Kanzlei meint auch die Anwältin, so könne sie das unterschreiben. Damit steht einem Notartermin nichts mehr im Wege. Die Anwältin wundert sich zwar, dass Alix noch keinen Erbschein erhalten hat, meint aber, das sei kein Grund zur Sorge.

So sei das eben mit den Ämtern, die ließen sich manchmal viel Zeit. Sie ist froh, den Fall noch abschließen zu können, bevor sie in ihren Weihnachtsurlaub nach Südamerika fliegt. Sie wünscht ihrer Mandantin frohe Festtage, und Alix wünscht ihr im Gegenzug eine gute Reise.

Drei Tage später findet der Termin mit dem Redakteur statt. Alix hat ihre Idee weiter ausgearbeitet, überreicht Dr. Bonhoff das Exposé und erläutert ihm mündlich, was sie vorhat. Das Ganze wird ein hybrider Film, teils dokumentarisch, teils fiktiv. Außer dem Darsteller des Sokrates wird es noch zwei Schauspieler geben.
Eine Frau spielt eine Filmemacherin im Schneideraum. Ihre dokumentarische Spurensuche über Sokrates bietet die Gelegenheit, allgemeine Informationen zu vermitteln. Ferner soll es einen Regisseur geben, der die Apologie für das Theater inszeniert. Das gemeinsame, wenn auch unterschiedlich gelagerte Interesse führt Regisseur und Filmemacherin zusammen. Die beiden streiten sich an verschiedenen Orten über eine adäquate zeitgenössische Interpretation von Sokrates.
Alix macht eine Pause und sieht fragend zu Dr. Bonhoff.
Der Redakteur nickt beifällig. Das Konzept gefällt ihm. Genau das habe er von Alix erwartet, dass sie nicht rein dokumentarisch vorgehe, sondern fiktive Elemente ein-

füge. So etwas habe es zwar bisher in seiner Redaktion noch nicht gegeben, aber es könnte richtungweisend sein.
"Schaffen Sie ein ausführliches Treatment noch bis zum 31. Dezember?"
"Das ist sportlich, aber ja, ich denke schon."
Dr. Bonhoff erteilt Frau Hering einen Auftrag für das Drehbuch und entlässt sie.

Draußen im Flur macht Alix drei kleine Freudensprünge. Das muss gefeiert werden. Sie gibt sich ein paar Stunden frei und schlendert genüsslich durch die weihnachtlich geschmückte Hohestraße. Sie knabbert geröstete Esskastanien, ersteht ein paar Weihnachtsgeschenke und lässt sich zum Kauf eines roten Samtkleids für Heiligabend hinreißen.

Heiligabend

Didi, in Schürze, Jeans und Blütenhemd kniet vor der Backofentür und begießt die Gans. Alix tanzt in die Küche, umkreist ihn und posiert im Türrahmen.

"Tatatata!"

Didi betrachtet wohlgefällig, wie der geraffte rote Samt Alix´ Taille zur Geltung bringt. Er schließt die Backofentür und nähert sich ihr.

"Wieviel Zeit haben wir noch?"

"Nicht genug. Ich muss mich noch schminken."

"Musst Du gar nicht. Du bist schön wie du bist."

Es klingelt.

"Das ist bestimmt mein Vater. Der ist immer überpünktlich."

Sie will aus der Küche rennen, wird aber mit einem Kuss ausgebremst.

"Soviel Zeit muss sein."

"Machst du auf?"

Alix eilt ins Bad. Von dort aus hört sie zwei Frauenstimmen. Didis Mutter und Tantchen reden aufgeregt durcheinander.

"Didi mein Lieber!"

"Du glaubst nicht, wie voll die Bahnen waren."

"Und das an Heiligabend."
"Da denkt man, alle Welt ist zu Hause, aber, nein, Pustekuchen."
"Und alle mit riesigen Paketen unterwegs!"
"So wie wir."
"Was ist denn da drin?"
Didis Stimme wird gefolgt von einem Klaps.
"Nichts da, es wird nicht geschmult."
Dann schnattert es fröhlich weiter.
"Hast du einen Kleiderbügel? Ich brauche einen Kleiderbügel, mein Mantel hat nämlich keinen Aufhänger."
"Wieso das denn nicht?"
"Das ist ein Wendemantel, die haben keinen Aufhänger."
"Das ist aber unpraktisch."
"Weiß ich jetzt auch. Ich hab mir geschworen, nie wieder ein Wendemantel. Das Schlimmste sind die Taschen. Was ich da schon alles draus verloren hab."
"Hier, das Papier ist für dich, die Blumen sind für Alix."
"Wo ist sie überhaupt?"

Als es wieder klingelt, verrutscht Alix die Wimperntusche. Sie flucht leise vor sich hin und versucht, das Malheur mit einem Wattestäbchen zu beseitigen. Männerstimmen grundieren das Frauengeflatter. Alix atmet tief durch, um ihre Nervosität zu bekämpfen. Dann begibt sie sich ins Begrüßungsgedränge.

"Hallo, Paps." Alix drückt ihrem Vater ein Küsschen auf die Wange. Leider ist der Lippenstift noch frisch und hinterlässt einen deutlichen Abdruck.
"Entschuldige!" Sie versucht, das Rot wegzuwischen.
"Lass nur", protestiert der Vater und reibt selber, bis seine ganze Backe rot ist. Tantchen grinst und meint, so ein bisschen Lippenstift stünde einem Herrn doch immer gut zu Gesicht. Mutti findet den Flirtton von Elfriede unangemessen und wirft ihr einen vorwurfsvollen Blick zu.
"Die Blumen müssen ins Wasser."
Sie drückt Alix den Strauß in die Hand.
"Wenn ihr die Geschenke loswerden wollt" sagt Didi und geht voran, "der Baum steht im Wohnzimmer."
Alix sucht eine Vase für die Blumen und hört das Weihnachtsbaumloben aus der Ferne.
"Der ist aber schön."
"Ja, das ist ein Baum, zu dem kann man nur sagen, O Tannenbaum!" tönt der Vater und bringt die beiden Damen zum Lachen.
"Allerdings ist er ein bisschen schief", schränkt Didi ein.
"Aber so schön dicht."
"Wie niedlich, das Vögelchen auf der Spitze!"
"Das gehört bei uns immer dazu", erklärt der Vater.
"Wir hatten eine silberne Kugel."
"Auch sehr schön."

"Und Lametta."
Muttchen sieht enttäuscht auf die Strohsterne.
"Warum habt ihr kein Lametta?"
"Das hat man heute nicht mehr", sagt Didi. "Lametta ist giftig. Alix hat einen Beitrag darüber gemacht."
"Was heute alles giftig sein soll", murrt Muttchen.
Plopp macht es. Didi füllt Sekt in die Gläser. Die kleine Missstimmung löst sich in fröhlichem Zuprosten auf.

"Das habt ihr aber schön gemacht", lobt Mutti den gedeckten Tisch, und sieht großzügig darüber hinweg, dass die Tischdecke ganz offensichtlich ein Betttuch ist.
"Wer sitzt wo?"
"Egal."
"Dann nehmen wir diesen charmanten einzelnen Herrn doch einfach in unsere Mitte", meint Tantchen.
"Keine Vorschusslorbeeren", lacht der Vater ein wenig zu laut. "Aber selbstverständlich ist es mir eine Ehre, zwischen zwei so...ehm wohlgerundeten Damen den Abend verbringen zu dürfen."
Tantchen lacht. Aber Didis Mutter zupft betroffen an ihrer Kleidung. Der Vater versucht, seinen *faux pas* wieder gut zu machen, indem er behauptet, ein Anhänger von Venusproportionen zu sein. Diese scheußliche Twiggy-Mode, die sei gar nichts für ihn. Tantchen giggelt, Alix verdreht die Augen, und Didis Mutter ist froh, dass nun ihr Sohn die Aufmerksamkeit

auf sich lenkt. Er holt das Baguette aus dem Ofen und wirft es von einer Hand in die andere, um zu demonstrieren, wie heiß es ist. Er macht einen Tanz daraus, bis Alix, mit einem Topflappen bewaffnet, ihm das Brot wegfängt. Sie schneidet es in Scheiben, während Didi die Sektgläser nachfüllt. Tantchen betrachtet das Paar und wagt sich vor:

"Eigentlich sollten wir uns alle duzen, wo wir doch..."

Ein Fußtritt von Mutti bringt sie zum Schweigen.

"Aua!"

"Eine gute Idee", greift der Vater den Vorschlag auf. " Ich heiße Helmut."

"Elfriede."

"Inge", sagt Didis Mutter.

Sie lassen die Gläser klingen.

"Na dann, guten Appetit!"

Bei Brot und Butter greifen alle begeistert zu. Doch die merkwürdige bleiche Gitterkonstruktion auf den Tellern wird zunächst kritisch beäugt.

"Interessant."

"Was ist das?"

"Palmenherzen mit Vinaigrette."

"Ich wusste gar nicht, dass Palmen Herzen haben."

"Herzen sind immer gut, besonders an Weihnachten."

Der Vater probiert als Erster.

"Kann man essen", urteilt er überrascht.

Nun probieren auch die anderen, und es entsteht das, was der Vater eine *gefräßige Stille* nennt.

Nach der Vorspeise stehen Weihnachtslieder auf dem Plan.
"Kerzen anzünden ist Elternsache", verkündet Didi und sorgt damit für eine kleine Küchenpause in Zweisamkeit. Alix stellt die Teller ineinander.
"Deine Mutter hat mich angeguckt, als wär ich im dritten Monat."
"Quatsch, das bildest du dir ein."
"Und dein Tantchen benimmt sich, als hätten wir sie zur Verlobung eingeladen."
"Blödsinn." Didi umarmt Alix.
Plötzlich steht Tantchen in der Tür.
"Ah, unsere Turteltäubchen! Ich dachte, ich sag mal Bescheid, dass die Kerzen jetzt brennen."

Die Eltern singen voller Hingabe. Tantchens Alt regiert die Hauptmelodie, Muttis Sopran singt die zweite Stimme, untermalt vom Bass des Vaters. Die Älteren sind textsicher. Alix und Didi müssen nach der ersten Strophe passen.
Auf die *Stille Nacht* folgen *Glocken, die süßer nie klingen* und *Oh du Fröhliche.* Bei *Ihr Kinderlein kommet* streiken Didi und Alix. Kinder seien sie nun wirklich keine mehr, protestiert Alix, und gibt damit unfreiwillig die

Vorlage zu einem beziehungsreichen "Was nicht ist, kann ja noch kommen" von Tantchen.

Didi und Alix flüchten ins Geschenke auspacken. Nicht, dass sie je eine Kaffeemaschine gewollt hätten, aber sie begrüßen das Teil mit lautem Hallo. Auch die Rotweinkaraffe entspricht eher dem, was dem Vater selber gefällt. Didi trinkt den Wein lieber, als dass er ihn umschüttet. Doch es ist Weihnachten, das Fest der Liebe, und so lässt er sich bereitwillig darüber belehren, warum man einen guten Tropfen dekantieren soll.
Umgekehrt treffen auch die Geschenke der Kinder nur bedingt den Geschmack der Älteren, was mit launigen Sprüchen überspielt wird. Angesichts des letzten Päckchens steigt die Spannung. Alix löst bedächtig die überdimensionale Schleife von Didis Geschenk.
"Die kleinen haben es in sich", meint Tantchen und wirft ihrer Schwester einen bedeutungsvollen Blick zu.
Im Kästchen befindet sich eine Kette.
"Schön", sagt Mutti enttäuscht. Sie hat einen Ring erwartet.
Alix gibt Didi einen Kuss, und lässt sich die Kette von ihm verschließen.
"Soso", tönt der Vater, "du willst meine Tochter also an die Kette legen. Da muss ich mal überlegen, ob ich das zulassen kann."
Die Damen lachen. Alix rollt mit den Augen.

"Ich guck dann mal nach der Gans. Kommst Du, Didi?"
Allein gelassen, tauschen sich die Älteren über die modernen Zeiten aus.
"Leider denken diese jungen Leuten gar nicht mehr daran zu heiraten", sagt der Vater.
"Wozu auch?" meint Tantchen keck. "Der Kuppelei-paragraph ist ja nun endlich abgeschafft."
"Elfriede!" Inge versucht sie zurückzuhalten, erreicht aber das Gegenteil.
"Ist doch wahr! Was geht es den Staat an, wer mit wem ein Verhältnis hat!"
"Nun ja", schränkt der Vater ein. Sie habe natürlich recht, einerseits. Aber diese Inflation von Onkelehen nach dem Krieg, die habe den Staat schon auch eine Stange Geld gekostet.
"Ohne das bisschen Rente hätte man ja gar nicht überleben können!"
Tantchens Satz hallt nach. Plötzlich wird deutlich, wie fremd man einander ist.
"Tja", sagt der Vater vermittelnd, "der Krieg hat so allerlei durcheinander gebracht."
"Aber als er endlich vorbei war", kichert Elfriede. "Was haben wir da getanzt! Wie der Lump am Stecken."
Inge nimmt ihr das Glas aus der Hand und stellt es betont außer Reichweite.
Der Vater räuspert sich.

"Dass diese jungen Frauen so erpicht darauf sind, für sich selber zu sorgen."
"Versteh ich gut", meint Elfriede.
"Wir mussten – die wollen."
Die Feststellung von Didis Mutter klingt unversöhnlich.
"Nun ja, jeder Jeck ist anders" versucht der Vater, die Härte zu mildern. Doch Didis Mutter ist mit ihren Gedanken in der Vergangenheit hängen geblieben, bei ihrem Ehemann, dem Spätheimkehrer aus Russland.
"Wie war das denn bei Ihnen, waren Sie..."
Ihr fällt auf, dass sie den Vater gesiezt hat.
"Entschuldige, Helmut! Ich meine, warst *du* in Gefangenschaft?"
Nun ist es an Elfriede, die Mutter vorwurfsvoll anzusehen. Sie findet, so etwas fragt man nicht. Das findet der Vater auch. Deswegen antwortet er äußerst knapp.
"Nur kurz."
"Da war deine Frau sicher froh, dass du so bald zurückgekommen bist."
"Ich konnte sie gar nicht erreichen. Sie war noch in der Zone." Er gibt einen unmutigen Laut von sich.
"Ja, das ist schlimm, wenn man keine Nachricht voneinander hat."
Dem Vater wird es nun endgültig zu viel mit all der Vergangenheit. Er wechselt das Thema.
"Hat eigentlich heute schon jemand Nachrichten gehört? Dieser Dutschke soll ja gestorben sein."

"Ach nee, ausgerechnet an Weihnachten?"
"Ich dachte, der wäre schon lange tot."
"Wer ist schon lange tot?", fragt Alix, die ins Zimmer kommt.
"Niemand."
"Ich dachte nur, weil... Man hat schon so lange nichts mehr von dem gehört."
"Von wem?"
"Von Eurem Dutschke."
Der Vater sieht Alix herausfordernd an. Alix verkneift sich zu sagen, dass es nicht ihr Dutschke ist, und nickt bestätigend, weil auch sie die Todesnachricht gehört hat.
"Alles fertig. Ihr könnt zum Essen kommen."

Die Gans ist gut geraten. Didi reicht das Lob für seine Kochkünste an die Omma selig weiter. Damit ruft er den Unwillen seiner Mutter hervor.
"Oma ist seine Heilige! Mich gibt es überhaupt nicht."
"Du warst halt nie da."
"Ist es etwa meine Schuld, dass ich das Geld ranschaffen musste?"
Muttis verärgerter Ton sorgt für einen Moment betroffener Stille, und Alix fällt auf, das Didi im Ruhrpott-Slang von seiner Omma redet, während die Mutter das O vornehm dehnt.

"So hat er es doch nicht gemeint", versucht Elfriede zu vermitteln. "Er weiß doch, wie hart es für dich war."
Sie wendet sich erklärend an Alix Vater.
"Von der höheren Tochter zur Fließbandarbeiterin."
"Fließband war nur am Anfang!"
Inge will nicht in Schutz genommen werden, und schon gar nicht, wenn dabei Dinge enthüllt werden, die sie als Makel empfindet. "Die meiste Zeit war ich im Büro."
"Jedenfalls hatten wir Hühner", versucht Didi die Stimmung zu retten. "Wenn ich brav Löwenzahn gesammelt hatte, dann bekam ich zur Belohnung ein Zuckerei. Das war das Höchste, ein rohes Ei mit der Gabel geschlagen, und Zucker dazu."
"Igitt."
"Andere Süßigkeiten gab es nicht."
"Ja, Eier hatten wir immer, dank unserer fleißigen Liese."
Mutti hat ihren freundlichen Tonfall wiedergefunden.
"Die Liese hat sogar im Winter gelegt. Dafür hat sie später auch ihr Gnadenbrot bekommen."
"Die Liese schon, aber die anderen wurden von der Omma geschlachtet, ganz ohne Gnade, mit dem Hackebeilchen."
"Didi, wir sind beim Essen!" Alix versucht vergeblich, ihn zu stoppen.

"Das Blut spritzte, der Kopf lag neben dem Hauklotz, und der Rest flatterte noch herum..."
Zur Untermalung flattert Didi mit den Armen wie ein böser Geist.
"Jaja, jetzt tust du ganz groß", merkt seine Mutter an, und wendet sich an die Tischrunde. "Aber damals, da hat er sich hinter dem Schrank versteckt. Er wollte nicht mal die Brühe essen. Dabei hätte die ihm so gut getan. Wenn ich an die ganze Arbeit denke... "
"Genau, entfedern und flämmen" sagt Tantchen. "Gott, war das mühsam. Das kann heute gar keiner mehr."
"Also ich kann das", wirft Didi ein. "Das hat die Omma mir beigebracht."
"Unsinn, das hab *ich* dir gezeigt, da war die Oma längst im Altersheim."
"Ist doch egal", versucht Elfriede zu schlichten. "Jedenfalls war man gut dran, wenn man Hühner hatte. Eine Cousine von mir, die hat sie sogar mit auf die Flucht genommen. Als wir durch die Elbe mussten, da hat sie den Käfig auf dem Kopf transportiert. Ein Bild für die Götter."
"Das sind doch alles alte Kamellen."

Eine Weile hört man nur Besteck klappern.
"Möchte noch jemand Gans?"
"Nein, danke."

"Alix, jetzt erzähl mal etwas von dir. Woran arbeitest du gerade?"
"Das sind noch viel ollere Kamellen, fünftes Jahrhundert vor Christus."
"Ach du liebes bisschen."

Der Rest des Abends plätschert harmonisch dahin, bis der Wecker in Muttis Handtasche klingelt und sie daran erinnert, dass es Zeit ist, zum Bahnhof zu fahren.
In der allgemeinen Aufbruchstimmung bestätigen sich alle gegenseitig, dass es ein wunderschöner Weihnachtsabend gewesen sei. Unter Dankesbeteuerungen werden die Mäntel angezogen. Und dann ist Didi endlich mit den Damen aus der Tür.
"Ich werd jetzt mal dein Bett beziehen", sagt Alix in die unvermittelte Stille. "Mach es dir so lange gemütlich."
Doch der Vater will es sich nicht gemütlich machen. Er will Alix nach den letzten Entwicklungen in Sachen Erbschaft befragen.
"Muss das jetzt sein?"
"Wann denn? Du willst ja nie darüber reden."
Alix seufzt.
"Erbschein gibt es noch immer keinen."
"Und die Vereinbarung?"
"Muss nur noch notariell beglaubigt werden."
"Jetzt lass dir doch nicht jedes Wort einzeln aus der Nase ziehn!"

Alix überlegt, was sie ihm erzählen will, und entscheidet sich für die letzte Wendung.
"Carl will jetzt gar nicht mehr selber erben, sondern alles gleich an seine Kinder weitergeben."
"Klar, da kann er Steuern sparen", bemerkt der Vater spitz. "Brauchen tut er das Geld ja nicht. Er hat genug davon." Er lacht hämisch. Alix sieht ihn an.
"Was ich dich immer schon mal fragen wollte, warum heiße ich eigentlich nach meiner Tante, wenn Du so sauer bist auf die Familie?"
"Wieso? Alexandra ist doch ein schöner Name. Außerdem hat deine Mutter ihre Schwester geliebt. Die paar Schwierigkeiten, mein Gott... Gibt es denn eigentlich schon einen Notartermin?"
Alix gibt auf, mehr von ihm erfahren zu wollen. Sie lässt die frisch bezogene Decke auf das Gästebett fallen.
"Am dritten Januar."

Die Tage zwischen den Jahren verbringen Alix und Didi in harmonischer Zweisamkeit. Sie schreibt am Treatment, er probiert neue Rezepte aus. Sie lesen, führen lange Gespräche und verlassen das Haus nur für ein paar Kinobesuche.
Pünktlich am Silvesterabend gibt sie ein dreißigseitiges Papier für den Sokrates-Film in der Hauspost vom Sender ab.

Herr Königs lässt es sich nicht nehmen, den Umschlag persönlich mit dem Tagesstempel vom 31.12.1979 zu versehen und Frau Hering viel Glück fürs neue Jahr zu wünschen. Sie revanchiert sich mit ebensolchen Wünschen und mit einer Tafel Bitterschokolade, edel genug, um ihn zu erfreuen, und klein genug, um nicht in den Verdacht von Bestechung zu geraten.
Didi und Alix lassen das alte Jahr auf der Rheinbrücke ausklingen. Im Gepäck haben sie Sekt und Wunderkerzen. Obwohl Alix erst nach dem Krieg geboren ist, mag sie keine Knallerei, und Didi kann ebenfalls auf eigene Raketen verzichten. So suchen sie einen vergleichsweise ruhigen Platz am Brückengeländer, um das Feuerwerk aus der Entfernung doppelt zu bewundern, einmal oben am Himmel, und zusätzlich gespiegelt in den Fluten. Um Mitternacht läuten die Domglocken gegen die Kracher an. Eine Riesenblume explodiert am Firmament und verwandelt sich in einen sanften Goldregen. Die beiden prosten sich zu und schicken ihre Wünsche für das kommende Jahr, welches das Erste eines neuen Jahrzehnts ist, ins Universum.
Alix stellt sich vor, dass in diesen 80er Jahren ihr Kind geboren wird. Didi dagegen sieht sich im Dienst von internationalen Koproduktionen um die Welt jetten. Abergläubisch behalten beide ihre Wünsche für sich, und besiegeln ihre Liebe mit einem tiefen Kuss.

Der Notartermin

Die Fahrt nach Hohenems ist gespickt mit Hindernissen. Schon in Köln startet der Zug mit Verspätung. Alix hofft, dass er die paar Minuten wieder einholen wird, und macht es sich im Abteil gemütlich. Mitunter blickt sie von ihrer Arbeit auf, betrachtet den zwischen Bäumen aufblitzenden Rhein, erkennt Burgen und Zuckergussvillen wieder, und lässt ihre Gedanken in eine glänzende Zukunft schweifen.

Inzwischen hat sie sich entschlossen, das Erbe für die Finanzierung ihres ersten großen Spielfilms einzusetzen. Der Sokratesfilm soll die Fingerübung für ihr eigentliches Werk sein, für den Film über Thea von Harbou. Und ihre Tante wird eine Widmung im Nachspann bekommen. Nicht nur, weil sie mit ihrem Geld hilft, sondern auch, weil sie früh emanzipiert war, eine berufstätige Frau.

Alix erinnert sich an ein Foto von ihr: Die junge Alexandra sitzt mit stolzem Lächeln hinter einem riesigen Schreibtisch. Den Füller hält sie, für eine Unterschrift gezückt, in der Hand. *Fräulein Chef lässt bitten*, steht unter dem Foto. Es muss Mitte der dreißiger Jahren gemacht worden sein. Alix´ Mutter, die kleine Schwester, war damals zur Ausbildung in Berlin. Auch davon gibt es ein Foto: die blutjunge Betty in einem Labor, unbeschwert fröhlich im Kreis von Kollegen. Auch sie hätte nach der Ausbildung in die Firma eintreten können. Stattdessen heiratete sie schon mit zwanzig. Das war das Ende ihrer beruflichen Karriere.

Dann kam der Krieg und veränderte sowieso alles.

Tante Axel hat erst im Krieg geheiratet, *überstürzt*, wie es in der Familie hieß. Die Großeltern mochten den Leutnant nicht. Es gab keine große Feier und auch keine Hochzeitsreise. Der Ehemann musste direkt nach der Trauung wieder ins Feld.

Ins Feld. Wie friedlich das klingt, nach Feld, Wald und Wiese. Was für ein Euphemismus. Während der Ehemann also *im Feld* war und das Vaterland verteidigte, leitete Tante Axel die Geschicke der Firma. Sie reiste hin und her zwischen Frankfurt und Hohenems und brachte wertvolle Materialien aus der Großstadt in die alpenländische, nicht von Bomben gefährdete Filiale. Der Großvater war damals schon krank, soviel Alix weiß. Sie versucht, sich zu erinnern, wie der erste Mann von Tante Axel hieß.

Hartmut! Natürlich. *Mit hartem Mut* pflegte der Vater zu spötteln.

Was hat er bloß gegen den Schwager? Erst am Weihnachtsabend hat er sich wieder ereifert.

"Ein ganz schlimmer Finger, dieser Hartmut, hat dem Alten eingeredet, dass die Gelder bei ihm sicher wären. Aber genützt haben ihm seine Winkelzüge gar nichts, die Juden haben trotzdem kassiert! Belogen hat er sie alle, nach Strich und Faden! Und wenn er nicht so früh gestorben wäre, dann wär alles weg gewesen."
Als Alix genauer wissen wollte, wer wen worüber belogen hatte, und was, warum von wem kassiert worden war, bekam sie mal wieder eine Antwort, die keine war.
"Keine Fünfzig ist er geworden. Tja. Das hat er nun davon! Der ist lange tot. Und ich lebe immer noch!" Der Vater lachte hämisch.
Später versuchte Alix im Gespräch mit Didi aus den Bruchstücken eine plausible Geschichte zusammenzureimen. Wenn der Großvater nach dem Krieg die Firma an Hartmut überschrieben hat, dann stellt sich die Frage, warum. Hartmut hatte keine Ahnung vom Geschäft. Er war Berufsoffizier.
"Genau," meinte Didi. "Als Berufsoffizier war er nach dem Krieg gar nichts mehr."
"Und du meinst, deshalb..."
"So war das doch damals, oder? Die Männer kamen zurück und übernahmen die Posten der Frauen."
"Und die Frauen ließen das mit sich machen, weil sie das Ego ihrer im Krieg geschlagenen Männer wieder aufpäppeln mussten. Super! Und was bitte, haben die

Juden kassiert? Welche Juden überhaupt? Davon hab ich Weihnachten zum ersten Mal gehört."
"Vielleicht gab es Restaurationsansprüche."
"Das würde ja heißen, dass der Großvater die Firma zu unredlichen Bedingungen erworben hat."
"Weißt Du, seit wann das Fotogeschäft im Besitz der Familie ist?"
"Keine Ahnung. Ich dachte, schon immer. Obwohl, wenn Du so fragst, ich glaube, der Opi war eigentlich gar kein Fotograf. Ganz früher hat er einen Eisenwarenhandel gehabt, in irgendeinem Kaff."
Der Zug fährt durch Frankfurt, die Stadt des großelterlichen Geschäfts, das Vetter Carl ganz alleine erbt.
Vielleicht kann Alix froh darüber sein, dass sie nichts damit zu tun hat, jetzt, wo sie ahnt, dass da möglicherweise eine unsaubere Vergangenheit dran hängt.
Da liegt kein Segen darauf.
Wo kommt das jetzt her? Wahrscheinlich aus der katholischen Vaterfamilie. Die tut sich ja viel darauf zugute, wie unkompliziert und anständig sie ist. Aber einen SS-Onkel gab es da auch. Nur keine Erbschaftsquerelen wie in der mütterlichen Familie. Alix´ Mutter war quasi leer ausgegangen beim Erben. Sie hatte nur den Trümmerhaufen des ehemaligen Elternhauses bekommen. Alix erinnert sich an eine Seite mit zwei Fotos im Familienalbum der Mutter: VORHER – NACHHER steht in Großbuchstaben darüber. Vorher

war es eine großbürgerliche Jugendstilvilla. Nachher ein Trümmerhaufen.
Und diesen Trümmerhaufen hat die Mutter für den Gegenwert eines Persianermantels verkauft. Mehr war er damals nicht wert. Hätte sie das Grundstück im Herzen von Frankfurt gehalten, hätte sie später tausende Persianermäntel dafür kaufen können. Der Wert von Grundbesitz ist nicht so stabil, wie man meinen möchte. Er ändert sich mit den politischen Gegebenheiten. Wer weiß, zu welchen Bedingungen die Großeltern das Haus erworben haben, denkt Alix.
Für einen Appel und ein Ei mussten die Juden ihre Häuser verkaufen, wenn sie ihr Leben retten wollten.
Die konnten doch froh sein, wenn sie überhaupt noch was kriegten.
Was da alles hochkommt. All diese vorgefertigten Sätze, die Alix irgendwo gespeichert hat.
Sie versucht, die Gedanken von sich zu schieben. Sie will nichts zu tun haben mit dem alten Kram. Vielleicht denkt sie sich das alles nur aus. Dass die Villa Juden gehört haben könnte, bevor sie das Elternhaus ihrer Mutter wurde, ist pure Vermutung. Zerbombt ist sie sowieso, Schutt und Asche weggeräumt, das Grundstück verkauft und der Persianer längst von Motten zerfressen. Also, was soll es. Schluss mit den Vergangenheitsgespenstern!

Am nächsten Bahnhof vergleicht Alix die Bahnhofsuhr mit dem Zugfahrplan und stellt fest, dass die Verspätung größer geworden ist statt geringer. Möglicherweise wird es knapp mit dem Umsteigen in Ulm.
Hohenems ist endlos weit entfernt. Wie ist die Familie bloß dahin gekommen? Hohenems liegt nicht mal in Deutschland.
Heim ins Öster-Reich!
Alix hat den spöttischen Tonfall der Tante im Ohr. Nein, Hitler gläubig waren die Paschers nicht. Der Schnauzbart galt ihnen als ungehobelter Emporkömmling. Und um den Großvater musste man angeblich immer Angst haben, weil er Nazi-Witze erzählte.
Wie passt das alles zusammen?

Die Zugfenster zeigen die hässliche Rückseite der Gesellschaft. Häuser, die nah an der Bahnstrecke stehen, sind meist unverputzt und sehen verwahrlost aus. Draußen rauschen Fabriken vorbei, Starkstromleitungen, Silos, nicht schön, aber das, was man *blühende Industrielandschaften* nennt. Es war schon eine Leistung, dieser Wiederaufbau, in so kurzer Zeit.
Gepriesen sei, was hart macht.
Und plötzlich weiß Alix wieder, wie Tante Axel nach Hohenems gekommen ist.
`Stell dich nicht so an´, wurde die kleine Lissy von ihrer Mutter angefaucht, wenn sie zu heulen anfing, weil ihr

Jod auf eine Wunde geträufelt wurde. `Deine Tante war nicht so eine Memme!´ Und dann folgte die Geschichte von der Kinderlähmung. Alexandra hatte als Kind im Rollstuhl gesessen. Ihr ganzer Rücken war verdreht. In Hohenems gab es eine Privatklinik, in der neue Heilungsmethoden ausprobiert wurden. Die waren nicht nur schmerzhaft, sondern auch langwierig. Es dauerte Jahre. Immer wieder musste die kleine Alexandra für Monate in die Klinik.

Vielleicht lag da der Grund für ihren Kampfgeist, für die vielen Sportmedaillen, für ihren Mut, ganz allein nach Afrika zu reisen?

Wie konnte sie überhaupt so lange verreisen, fragt Alix sich nun zum ersten Mal. Damals war die Tante noch aktive Geschäftsfrau. Wie konnte sie da einfach ein halbes Jahr abwesend sein? Vielleicht hat sie damals das Doppelleben ihres Mannes entdeckt. Vielleicht hat sie ihn daraufhin in die Pflicht genommen und beschlossen, ihr eigenes Ding zu machen. Das würde zu ihr passen. Sie war kein Opfertyp. Sie war willensstark, bis zum Ende.

`Ihre Tante wusste genau, was sie wollte´, hat Frau Talheim am Abend vor der Beerdigung gesagt. `Auch als sie schon schwach war, hat sie protestiert, wenn ich ihr braune Socken zur schwarzen Hose brachte. Braun zu schwarz, das geht gar nicht, hat sie gesagt. - Ja, so war sie.´

Nur tragisch, dass sie kein anderes Ziel mehr hatte für ihre Stärke, als die Sockenfarbe auf die Kleider abzustimmen.
Ulm wird angesagt. Alix guckt auf die Uhr. Mist! Ihr bleibt genau eine Minute für den Umstieg. Noch dazu muss sie auf einen anderen Bahnsteig. Sie rafft ihre Sachen zusammen, stellt sich schon mal an die Tür und trippelt ungeduldig von einem Fuß auf den anderen. Man sieht einen Fluss. Ist das jetzt die Donau oder die Iller? Egal.
Jetzt hält der Zug auch noch an, auf freier Strecke! Wenn der Anschlusszug nicht wartet, dann war es das.
Endlich fahren sie wieder.
Sobald der Bahnhof erreicht ist, öffnet Alix die Waggontür und sprintet los. Doch schon, als sie von der Unterführung nach oben hastet, schwindet ihre Hoffnung. Die rechte Seite, da, wo ihr Zug stehen müsste, ist unangenehm hell. Und tatsächlich, da ist nichts, kein Zug, nur eine große Leere.
Sie rennt die Treppe wieder hinunter, zum Hauptgebäude. Wie gut, dass ihr Köfferchen leicht ist. Sie wählt den Schalter, vor dem nur ein Kunde steht. Leider ist dessen Anliegen ziemlich kompliziert. Am Nebenschalter, wo zwei Leute anstanden, wäre es schneller gegangen. Murphys Law: *Alles was schief gehen kann, geht schief.*

Endlich ist Alix an der Reihe. Sie erfährt, dass in sieben Minuten ein Zug geht, der sie um den Preis zweier zusätzlicher Umstiege eine knappe Stunde später als geplant nach Hohenems bringt.
Wenn alles fahrplanmäßig verläuft, wird sie statt um 14:32 um 15:24 Uhr in Hohenems eintreffen. Das ist genau vierundzwanzig Minuten nach dem angesetzten Notartermin. Sie muss versuchen, im Notariat anzurufen. Da vorn ist eine Telefonzelle. Sie stellt ihre Handtasche auf das Köfferchen und sucht nach der Nummer. Da geht jemand an ihr vorbei in die Telefonzelle. Alix flucht. Murphys Law. Vielleicht hat sie in Kempten mehr Glück. Hat sie nicht. Die Telefonzelle dort ist außer Betrieb. Immerhin klappt der Umstieg.
Doch die schneebedeckten Alpengipfel entlocken Alix nur kurze Bewunderung, und die von der letzten Eiszeit gerundeten Hügel der Allgäuer Landschaft bringen ihr keine Ruhe. Denn das Gedankenkarussell rotiert. Nach all den Querelen im Vorfeld jetzt auch noch zu spät zum Notartermin zu kommen, ist das Dümmste, was ihr passieren kann. Warum hat sie nicht den früheren Zug genommen? Und wie kann sie den anderen mitteilen, dass sie noch kommt, wenn auch zu spät?
In Lindau ist die Umstiegszeit zu kurz zum Telefonieren. In Bregenz bräuchte sie österreichisches Kleingeld. Sie resigniert, und probt Formulierungen, die beweisen sollen, wie leid es ihr tut, dass sie zu spät kommt. Noch

im Zug zieht sie den kleinen Stadtplan von Hohenems zu Rate und prägt sich den Weg ein.
Angekommen rennt sie die Straße vom Bahnhof aus hoch. Endlich steht sie schwer atmend vor dem Notariatsschild. Sie klingelt. Es summt. Sie drückt die Tür auf. Das Notariat ist im ersten Stock. Sie ignoriert die Sekretärin. Sie eilt schnurstracks auf die Tür zu, hinter der alle auf sie warten und öffnet sie.
Doch da wartet niemand. Der Raum ist leer.
Sie wendet sich der Notariatssekretärin zu.
"Wo sind die Herrschaften denn? Mein Zug hatte Verspätung, tut mir leid."
"Ja, ehm, wir haben Sie leider nicht erreicht" sagt die Sekretärin zögerlich. Dann gibt sie sich einen Ruck: "Der Termin fällt aus."
"Der Termin fällt aus?"
"Ja."
Alix hält mit Mühe an sich.
"Was soll das heißen, Sie haben mich nicht erreicht? Ich war doch die ganze Zeit in Köln! Außerdem habe ich einen Anrufbeantworter."
"Wir hatten über die Feiertage geschlossen."
Die Sekretärin blickt zur Seite. Die Situation scheint ihr peinlich zu sein.
"Ich soll Ihnen dieses Schreiben hier geben."
Sie überreicht Alix einen Umschlag.
"Und wieso ist Dr. Felder nicht da?"

"Er ist morgen wieder hier."
"Vielleicht haben Sie die Güte, mir zu sagen, warum der Termin geplatzt ist?"
Die Angestellte windet sich.
"Ich darf das eigentlich nicht sagen, aber so viel ich weiß, ist noch ein anderes Testament gefunden worden. Möchten Sie vielleicht einen Kaffee?"
"Nein danke! – Aber ein Schluck Wasser wäre gut."
"Gern."
Alix setzt sich in einen der Wartesessel und starrt auf einen Fleck in der Auslegware, bis die Anwaltsgehilfin mit dem Wasserglas kommt.
"Danke."
"Dann bin ich also völlig umsonst gekommen."
Die Gehilfin widerspricht ihr. "Nein. Das auf keinen Fall. Wenn Sie wollen, können Sie die Vereinbarung morgen früh unterzeichnen. Dr. Felder ist ab acht Uhr im Haus."
"Und was soll das für einen Sinn haben, wenn es jetzt ein anderes Testament gibt? Hat mein Vetter die Vereinbarung denn unterschrieben?"
"Da bin ich leider überfragt."
Alix steht auf und stellt das halb geleerte Glas auf den Tisch zurück.
"Dr. Felder kann Ihnen das sicher alles erklären."
Alix nimmt ihr Köfferchen und geht.

Schattengeister

Alix bezieht ihr vorbestelltes Zimmer im Gasthof Engelburg, stellt die Heizung an und beschließt, sich den Ärger aus dem Leib zu laufen. An der Kirche vorbei geht sie auf den schroffen Felsen zu. Ein Schild weist bergan zur Burg Alt Hohenems. Der Weg ist steil. Alix schreitet zügig aus. Erst nach der vierten Spitzkehre bleibt sie stehen. Ihr Atem pumpt heftig. Durch eine Lücke zwischen den Bäumen sieht sie unter sich die Kirchturmspitze. Die Bebauung von Hohenems franst an den Rändern aus. Vereinzelte Dächer sprengseln die Landschaft bis zur Rheinebene. Nebelschlieren liegen über dem Tal. Als sie weitergeht, verdichten sich die Schneereste. Alix rutscht aus auf dem nassen Kies. Ihre Stadtstiefel sind nicht zum Wandern geeignet. Rinnsale suchen sich ihren Weg zwischen Schneeplacken. Über Nacht wird die Temperatur anziehen. Dann wird es richtig glatt.

Ein Stecken wäre jetzt gut. Alix zieht an einem Ast, aber er löst sich nicht. Zwischen den Bäumen ist es schon dämmerig. Bis sie zur Burg kommt, wird es weitgehend dunkel sein. Januar, die grimmigste Zeit des Jahres. Sie sollte umkehren. Doch sie will sich auspowern. Sie beschleunigt ihren Schritt und geht weiter nach oben. Wenn sie stürzt, wird niemand sie hören. Bei diesem Wetter sitzen die Leute zu Hause. Auf dem ganzen Weg ist sie nur einem einzigen Hundebesitzer begegnet, und der war schon auf dem Rückweg. Alix hält an. Sie stützt sich auf den Oberschenkeln ab und wartet darauf, dass ihre Seitenstiche nachlassen. Hat Tante Axel sich damals wirklich verirrt? Oder war sie lebensmüde? Was hat der Pfarrer bei der Beerdigung salbadert? *Junge Witwe... kürzlich Abschied nehmen müssen von ihrem ersten Ehemann...* Ja, von einem untreuen Ehemann, der in einer anderen Stadt wohnte. Das hat der Pfarrer nicht gesagt, natürlich nicht.

Alix tritt den Rückweg an und denkt über die Absurdität des Lebens nach. Da rennt man einen Berg hoch, nur um ihn anschließend wieder hinunter zu latschen. Warum klettern Menschen auf Berge? Noch dazu mit Pickel und Seil? Manche spüren sich erst, wenn sie in Lebensgefahr sind. War Tante Axel so eine?

Alix gerät ins Rutschen. Ihre Schuhsohlen rollen über lose Kiesel, finden keinen Halt. Alix greift einen Ast. Er gibt nach, aber hält. Puh! Gleich dahinter geht es in die Tiefe.

Alix richtet sich vorsichtig auf. Ihre Schulter ist gezerrt, das Knie, mit dem sie sich abgestützt hat, dreckig. Sonst ist nichts passiert. Glück gehabt. Alix bedankt sich bei irgendwelchen höheren Mächten und geht mit ganz kleinen Schritten weiter. Wie symbolisch! Sie lacht auf. Wenn das mit Erbschaft nichts ist, und so sieht es ja aus, dann wird sie ohnehin wieder kleine Schritte machen müssen.

Endlich das Tal. Im Ort erhellen Laternen die Nacht. Sogar die Läden haben noch auf. Es ist dunkel, aber noch nicht spät. Januar eben. Ein Buchladen lockt Alix an. Das Klingeln eines Glöckchens begleitet ihren Eintritt. Die Buchhändlerin nickt ihr ein freundliches Willkommen zu und senkt ihren wilden, graublonden Schopf wieder über die Lektüre. Leise Jazzklänge füllen den Raum. Alix dreht an einem Ständer mit Postkarten. Der gräfliche Palast ist ein beliebtes Motiv. *Im Schutze der Felswand* steht auf einer der Karten. Alix findet den hoch kragenden Fels bedrohlich, nicht beschützend. Es ist eben alles eine Frage der Interpretation. Neben den bunten Postkarten gibt es auch sepiafarbene, mit historischen Reproduktionen. Alix sieht eine Abbildung des Gasthofs, in dem sie abgestiegen ist, aufgenommen im Jahr 1900. Im beige getönten Himmel stehen die Straßennamen. Demnach liegt er zwischen der Judengasse und Christengasse. Alix geht mit der Karte zur Kasse.
"Ich bin im Gasthof Engelburg abgestiegen", sagt sie. "Das ist doch das Haus hier, oder?"
Die Buchhändlerin nickt bestätigend.

"Meine Adresse ist Schweizerstraße. Aber hier steht Judengasse?"
"Tja. Straßennamen können viel über die Geschichte erzählen. Vor Hitler hieß es Judengasse. Unter den Nationalsozialisten wurde die Judengasse zur Brunnerstraße, nach dem SS-Hauptsturmführer Alois Brunner. Das war ein Verfechter der Endlösung."
"Und heute heißt es hübsch neutral Schweizerstraße."
Alix grinst.
"Die Christengasse heißt übrigens inzwischen Marktstraße. Nur die Engelburg hat ihren Namen nicht verändert."
"Vielleicht, weil Engel zeitlos und religionsübergreifend willkommen sind."
Die beiden Frauen tauschen ein Lächeln.
"Gab es hier viele Juden?"
"Die Vergangenheit von Hohenems ist jüdisch geprägt. Angefangen hat es im siebzehnten Jahrhundert, mit einem Schutzbrief für die Juden."
"Schutzbrief hört sich gut an." Alix knöpft ihren Parka auf.
"Ganz so altruistisch war es nicht. Der Reichsgraf erhoffte sich von den Juden eine Belebung der hiesigen Wirtschaft."
"Und, hat sich seine Hoffnung erfüllt?"
"Mehr als er sich vorstellen konnte. Im 19. Jahrhundert wurden hier fantastische Textilien gefertigt und bis

nach Ägypten exportiert. Zudem waren die jüdischen Fabrikherren nicht nur international erfolgreich, sie waren auch sozial sehr fortschrittlich. Bei den Gebrüdern Rosenthal gab es Betriebswohnungen, eine werkseigene Bibliothek und ein Armenhaus."
"Spannend. Ich war als Kind öfters in Hohenems, aber davon habe ich noch nie etwas gehört. Nur dass Sissy hier gewohnt hat, weiß ich."
"Typisch." Die Buchhändlerin lacht. "Zu Sissy gibt es wesentlich mehr Bücher als zur jüdischen Geschichte. Da drüben finden Sie beides. Wenn Sie wollen, stöbern Sie ein bisschen herum."
Alix findet eine Broschüre zur Geschichte der Juden im Vorarlberg und setzt sich auf einen der mit Schaffell behängten Sessel. Unter einer Abbildung der Synagoge steht, dass der Geburtstag des Kaisers dort habituell gefeiert wurde.
"Hier gibt es einen Rabbi Kafka. War der verwandt mit dem Dichter?" fragt sie die Buchhändlerin.
"Interessanter Gedanke. Wer weiß. Das werde ich mal recherchieren."
Alix blättert weiter und erfährt, dass die SS 1938 täglich an die hundert Flüchtlinge zur nahen Schweizer Grenze geleitete.
"Hier steht, dass die SS den Juden freies Geleit zur Grenze gab?"

"Nun ja, *freies Geleit.* Das war eher eine Abschiebung. Und beraubt wurden sie auch. Die Juden durften nur zehn Reichsmark mitnehmen. Den Rest kassierte die SS."
Alix will sich erneut ins Buch vertiefen, wird aber von der Buchhändlerin darauf hingewiesen, dass der Laden gleich schließt. Alix springt auf.
"Ja, natürlich, Entschuldigung."
Sie geht mit dem Buch zur Kasse.
"Normalerweise nehme ich es nicht so genau, aber heute habe ich etwas vor. Vielleicht können Sie morgen wiederkommen?"
"Leider nein, morgen muss ich zurück nach Köln. Aber das Buch nehme ich mit."
"Köln. Dann bleiben Sie ja am Rhein. Wir sind hier nämlich am Altenrhein, wussten Sie das?"
"Ja, das hat mir meine Tante erzählt."
Alix nimmt ihr Wechselgeld und steckt das Buch ein.
"Gibt es die Synagoge eigentlich noch?"
"Schon, aber nicht als Synagoge. Da ist jetzt die Feuerwehr drin."
"Die Feuerwehr?" Alix ist perplex.
"Ja, ausgerechnet." Die Buchhändlerin zuckt verlegen mit den Schultern. "Sozusagen ein Treppenwitz der Geschichte."

Ohne es zu wollen, hat Alix den Weg zur Villa der Tante eingeschlagen. Von der Straßenseite aus ist alles dunkel. Im Licht der Laterne sieht sie das Gitter am Balkon. Es ist rostig. Aus der Stuckleiste am Dach sind ganze Placken herausgefallen. Nach Reichtum sieht das nicht aus, eher nach Verfall. Nach dem Schlaganfall von Tante Axel ist anscheinend nichts mehr repariert worden. Der Vordereingang ist gesperrt. Vielleicht wegen Eric. Alix geht um das Haus herum. Das Gartentor gibt nach. Sie schlendert unentschlossen über den Rasen. Im ersten Stock brennt Licht. Ob Eric schon im Bett liegt? Wie kommt er überhaupt nach oben in den ersten Stock? Hat die Tante einen Lift einbauen lassen? Oder kann er die Treppe mit fremder Hilfe noch bewältigen? Sie hat keine Ahnung. Sie hätte sich mehr Zeit für ihn nehmen müssen nach der Beerdigung.

Wenn sie jetzt klingelt, scheucht sie den Onkel auf. Was, wenn er öffnen will und dabei stürzt?

Es macht sowieso keinen Sinn, sich bei ihm zu melden. Morgen hat er eh wieder vergessen, dass sie da war. Trotzdem hat sie ein schlechtes Gewissen, als sie sich davonschleicht. Ein tief hängender Fichtenzweig streift ihr Gesicht und besprenkelt sie mit einem Schauer aus Regentropfen.

Da drüben ist der "Hirsch". Sie hat Hunger. Aber nein, dort will sie auf keinen Fall hin. Sie braucht etwas Neutrales. Sie lenkt ihre Schritte in Richtung Bahnhofstraße.

Wieso ist Vetter Carl eigentlich nicht hier? Wer hat ihn rechtzeitig benachrichtigt, dass der Termin gecancelt wurde? Oder steckt er selber dahinter? Hat *er* für das Auftauchen des Testaments gesorgt?

Vielleicht wäre es anders gelaufen, wenn sie nicht diesen kleinlichen Streit über die Kosten angefangen hätte? Wenn sie seine Bedingungen akzeptiert hätte, ohne sie zu hinterfragen? Aber wie hätte sie das tun können. Sie wollte nicht als *Dummchen vom Lande* dastehen. Obwohl, bei Lichte besehen, in Gelddingen ist sie natürlich das Dummchen vom Lande.

Da, eine hell erleuchtete Pizzeria! Als sie die Tür öffnet, wenden sich ihr einige Blicke zu und lassen sie wieder fallen. Die örtliche Jugend ist nicht an ihr interessiert. Das ist Alix gerade recht, ebenso wie das billige Ambiente. Plastikstühle, eine auf die Tellerunterlage gedruckte Speisekarte, das Gestell mit Ketchup und Senf. Sie bestellt Spaghetti Diavolo und Bier, dann vertieft sie sich in die Hohenems-Broschüre. Das Essen kommt rasch. Sie benutzt den Ketchup-Ständer als Lesepult und liest beim Essen weiter. Didi hasst das. Er hält es für eine ihrer schlechten Angewohnheiten. Aber sie mag es, Kopf und Magen gleichzeitig zu füllen. Sie erfährt, dass die weitverzweigte Familie Rosenthal drei Villen in Hohenems besaß. Eine Abbildung ist dabei, eindeutig nicht das Haus ihrer Tante. Gott sei Dank. Von den anderen Villen gibt es keine Fotos. Alix liest weiter.

Sophie Rosenthal, Zwangsumsiedlung nach Wien 1940, später Deportation in ein Vernichtungslager.

Sie schiebt den Teller von sich. Die Nudeln sind pappig. Vielleicht hat ihr auch das Thema den Appetit verschlagen.

Heim ins Österreich hat die Tante gescherzt. Sie kamen zurück von einem Ausflug nach St. Gallen. Die Tante sagte dem Schweizer Grenzposten, sie wollten *Heim ins Österreich* und lachte dabei. 1953 oder 54 muss das gewesen sein. Wie konnte sie das witzig finden?

Tante Axel hatte ein *loses Mundwerk*. Genau wie der Großvater. Angeblich hatten alle immer Angst, dass die Nazis ihn einkassieren würden wegen seiner Witze. Aber er wurde nicht einkassiert. Statt dessen wurde er reich. Konnte man gegen Hitler sein und trotzdem vom Unglück der Juden profitieren?

Aus tiefen Kindheitsnebeln steigt ein Bild auf. Alix sieht sich in der Tür zum Wohnzimmer stehen, im Nachthemd. Die Erwachsenen tranken Wein und redeten lautstark durcheinander. *Sie konnten doch froh sein, wenn sie überhaupt etwas kriegten... den Arsch gerettet... alles legal... das war damals halt so... Marktpreis... man wäre ja*

blöde gewesen... Rauchschwaden waberten um die Sessel. Irgendwann wurde das kleine Mädchen entdeckt und von Schoß zu Schoß gereicht. Das war eklig.
Genauso eklig wie das Bier. Alix setzt es entschlossen ab. Sie steht auf, zieht Parka, Schal und Mütze wieder an.
Die Straßen sind leer. Hinter Fenstern flackert bläuliches Licht von Fernsehern. Soviel Alix weiß, war in der mütterlichen Familie niemand in der Partei, jedenfalls nicht als Einzelmitglied, höchstens zwangseingemeindet durch irgendwelche Vereine. Aber das zählte nicht, oder? Hätte Tante Axel austreten sollen aus dem Alpenverein? Aufhören, Sport zu treiben? Sich aus Solidarität ins Abseits stellen? Wem hätte das genützt?
Durch einen Beitrag über den ADAC weiß Alix, dass er im Dritten Reich zum DDAC wurde: Der Deutsche Automobil Club. Wer nicht austrat, war automatisch gleichgeschaltet. Heute heißt es wieder ADAC, und Alix ist sogar selber Mitglied! Aber nur als Absicherung für Pannenfälle, das gilt nicht, oder? Vermutlich fängt es genauso an, das Beschönigen.
Wer weiß schon, wie er sich unter Druck verhalten würde. Alix ist freiberufliche Filmemacherin, und als solche abhängig von Aufträgen, genau wie seinerzeit Thea von Harbou. Thea hat kein Durchhaltewerk geschrieben, nichts Antisemitisches, nur Ablenkendes, heile Welt, Komödien. Sie musste ja schreiben, wenn

sie überleben wollte. Trotzdem wurde ihr später Mitläuferschaft vorgeworfen. Mit den *Nibelungen* sei sie voll auf der völkischen Welle gewesen. Aber dieses Drehbuch hat sie lange vor Hitler geschrieben. Und Fritz Lang hat die *Nibelungen* verfilmt. Dem hat niemand etwas vorgeworfen. Natürlich nicht. Er war Jude und ist emigriert. Thea aber ist in Deutschland geblieben. Sie hat Hitler falsch eingeschätzt. Sie glaubte sogar, ihre jüdische Sekretärin schützen zu können. Sie hatte die absurde Idee, sie mit Hitler bekannt zu machen und seinem persönlichen Schutz anzuvertrauen. Immerhin konnte *ihre Hilde* später mit Theas Hilfe nach London entkommen. Das weiß man von einem Dankesbrief. Sonst würde man diese Geschichte gar nicht kennen. Man darf nicht alles in einen Topf werfen. Das Leben ist nicht schwarz-weiß. Es hat viele Schattierungen.
Bei Talheims läuft der Fernseher. Es flackert kalt über die Gardine. Das Wellblechdach einer improvisierten Garage verunstaltet die Schindelfassade vom *alten Jagdhäusl.* Auch ein Verbrechen, wenn auch nur ein ästhetisches.
Frau Talheim war dabei, als Carl das andere Testament gefunden hat. Hat sie es zum Amtsgericht gebracht? Alix könnte jetzt klingeln und sie fragen. Warum macht sie das nicht? Vielleicht ist sie feige.
Was weiß man schon über sich selbst?

Alix geht weiter, zum *Zauberberg*. In Wirklichkeit heißt der Hügel anders, aber für Tante Axel war es der *Zauberberg*. Denn da oben in diesem hölzernen Kasten mit dem Spitztürmchen, der aussieht wie der aus Hitchcocks *Psycho*, ist sie geheilt worden.
Die dreidimensionale Atmungsorthopädie war eine Tortur, acht Stunden täglich. Wahrscheinlich waren diese Behandlungen der Grund dafür, dass der Großvater das Jagdhäusl gekauft hat. Das Kind musste begleitet werden. Und damit die Zeit nicht vertan war, wurde eine Filiale aufgemacht. Alix versucht, sich zu erinnern, wo der Fotoladen war. Vielleicht da, wo jetzt der Buchladen ist? Der Bogen hinter dem Kassenbereich ist ihr merkwürdig vertraut vorgekommen, auch wenn die Möblierung damals anders war. Sie sieht sich als Kind neben einer Glasvitrine stehen. Tante Axel hat der Vitrine eine Box entnommen und erklärt, wie sie damit umgehen muss. Alix schüttelt sich. Wenn man gräbt, kommen Dinge ans Licht, die man längst vergessen hat.

Von Philosophen und Führern

Auf der Rückfahrt lässt Alix vieles hinter sich. Mit jedem Kilometer Abstand sinken Eindrücke, Erinnerungen und Fragen tiefer zurück in das Schattenreich, aus dem sie gekommen sind.
Nur der morgendliche Notartermin verfolgt sie noch eine Weile. Bei dem hat sie erfahren, dass das zweite Testament tatsächlich jenes war, von dem Carl ihr seinerzeit erzählt hat, also das, nach dem sie so gut wie nichts erbt. Da beide Testamente dem Amtsgericht vorliegen, muss dieses nun entscheiden, welches gültig ist. Vorher wird kein Erbschein erteilt.
Wie das zweite Testament in die Hände vom Amtsgericht gelangt ist, dazu konnte der Notar nichts sagen. Ebenso wenig wollte er sich dazu äußern, welches der beiden Testament denn bessere Aussichten hätte, für gültig erklärt zu werden. Nur dass das Amtsgericht etwa sechs Wochen für seine Entscheidungsfindung benötigen werde, teilte er Alix mit.
"In den nächsten sechs Wochen passiert also erstmal gar nichts?" hatte sie entgeistert gefragt.
"So kann man es sehen", war die geschmeidige Antwort.

"Also ist die ganze, mühsam ausgehandelte Vereinbarung für die Katz?"
"Das weiß man noch nicht."
Alix sieht nichts von Landschaft vor dem Zugfenster. Sie ist damit beschäftigt, die Informationsbrocken hin und her zu wälzen. Der Punkt, an dem sie immer wieder einhakt, ist die Frage: Wie ist das Amtsgericht an das zweite Testament gekommen? Über den Notar? Aber welches Interesse sollte der haben, dass das von ihm aufgesetzte Testament für ungültig erklärt wird? Bleiben der Vetter und Frau Talheim. Bei der Beerdigung hatte Alix den Eindruck, dass Carl das handschriftliche und noch dazu stockfleckige alte Dokument nicht ernst nahm, geschweige, dass er es veröffentlichen wollte. Entweder hat er seine Meinung geändert, oder Frau Talheim hat eigenmächtig gehandelt.
Egal. Jetzt ist es in der Welt und Alix kann gar nichts tun. Also beschließt sie, das unangenehme Thema vorerst zu verdrängen.

Das fällt ihr umso leichter, als zu Hause gute Nachrichten auf sie warten. Der Redakteur findet ihr Treatment gelungen. Die Besprechung der Einzelheiten beginnt mit einem Lob für ihr bildliches Konzept. Dr. Bonhoff zitiert wohlwollend eine Passage aus ihrem Papier: *Sollte es in Athen nicht genügend Originalzeugnisse zu Sokrates geben, können abstrakte Bilder, beispielsweise das Verweilen auf einer Steinstruktur das Zuhören unterstützen und die Fantasie in Gang setzen.*

Das ist ganz in seinem Sinne. Er hat auch bereits einen Kontaktmann in Athen informiert, der Alix bei der Recherche unterstützen soll.

"Reden Sie mit ihm. Und nun zur Spielhandlung."

Dr. Bonhoff räuspert sich.

"Also grundsätzlich stellt diese fiktionale Ebene eine bereichernde Neuerung dar. Nur ehm, damit wir uns recht verstehen, diese fiktive Dokumentarfilmerin, die taucht doch nur in Deutschland auf, oder? Ein Auslandsdreh mit Schauspielern ist nämlich nicht im Budget."

Alix kann ihn beruhigen. In Griechenland wird nur dokumentarisch gedreht.

Der Redakteur ist zufrieden.

"Gut, gut." Er blättert in der Unterlage.

"Also diese Szene vor der Justizvollzugsanstalt... Was versprechen Sie sich davon? Die lenkt doch vom Inhalt ab?"

"Das glaube ich nicht. Es geht mir darum, dass die Zuschauer Sokrates nicht nur historisch begreifen. Die moderne Gefängnismauer soll die Assoziation zum Heute ermöglichen. Auch bei uns wird ja verurteilt, wer sich radikal demokratisch am Grundgesetz orientiert."

Der Redakteur wiegt zweifelnd seinen Kopf.
"Nun ja. Meinen Sie nicht, dass Sie den Zuschauer da überfordern?"
Nein, das meint Alix nicht. Ganz im Gegenteil, sie findet, dass der Zuschauer allzu gerne unterschätzt wird.
Der Redakteur lächelt über ihren Eifer und blättert weiter.
"Hier, bei der Szene am Geldautomaten ist Ihnen der Transfer besser gelungen. Dass ein Mann beim Geldziehen mit einem Sokrates-Zitat konfrontiert wird, das hat etwas. *Bester Mann, schämst du dich nicht, für Geld zwar zu sorgen, für Einsicht aber und Wahrheit und deine Seele sorgst du nicht?*"
Alix fühlt sich verstanden.
"Ja, ich wollte betonen, dass Sokrates nicht im Elfenbeinturm philosophiert hat. Er wollte die Leute irritieren. *Er war lästig wie eine Stechfliege* heißt es. "
"Ja, wie gesagt, an dieser Stelle passt es gut."
Der Redakteur schlägt das Treatment zu und lehnt sich zurück.
"Also, grundsätzlich haben Sie grünes Licht. Machen Sie sich an die Ausarbeitung. In einer Woche sehen wir uns wieder."
Alix findet, dass eine Woche knapp ist. Aber es gibt einen Grund für die Eile. Bis Februar will der Redakteur das Projekt von Alix unter Dach und Fach haben.

Denn danach ist er unterwegs. Dr. Bonhoff genießt einen Sonderstatus im Sender. Er darf mitunter selber Dokumentarfilme drehen. Und so wird er sich in Kürze auf den Spuren der Kolonialisierung in die Südsee begeben.

"Also, je früher, desto besser. Unser Philosoph in Hamburg muss ja auch noch sein Plazet geben. Im übrigen habe ich unserem Produktionsleiter Wittig das Treatment bereits zukommen lassen, für eine erste Kalkulation."

"Herrn Wittig?" Alix kennt ihn und ist wenig begeistert.

"Ihren Lebensgefährten kann ich Ihnen leider nicht zur Seite stellen."

Dr. Bonhoff grinst süffisant. "Wir sollten Gerüchten um Vetternwirtschaft keine Nahrung bieten. Dafür bekommen Sie unseren besten Ausstatter: Claudio Schedler. Also, Frau Hering, gehen Sie an die Arbeit. Sie haben keine Zeit zu verlieren."

Alix schwirrt der Kopf. Wo fängt sie an, was zuerst?

Das Ferngespräch nach Griechenland führt sie noch von der Redaktion aus. Der Kontaktmann heißt Phileas und spricht ziemlich gut deutsch. Er hat einen Teil seiner Schulzeit im Ruhrgebiet verbracht. Er möchte ein Telex mit der Motivliste. Leider gibt es noch keine Motivliste. Alix verspricht, so bald wie möglich eine zu erstellen. Nach der Verabschiedung sieht sie auf die Uhr. Für ein Gespräch mit dem Produktionsleiter ist es zu spät. Herr Wittig ist einer von denen, die pünktlich Feierabend machen. Außerdem ist sie mit Didi zu einer Filmpremiere eingeladen.

Im Kinofoyer ist es ungewohnt bunt. Das übliche Premierenschwarz ist diesmal in der Minderheit. Sie sind umringt von lauter Orange- und Rot-Gewandeten, die animiert schwatzen, laut lachen und sich offenbar alle untereinander kennen. Die Erklärung: Es wird eine Dokumentation über das skandalumwitterte Bhagwan-Experiment in Poona gezeigt.

Der Film beginnt wenig skandalös, eher langsam und langweilig. Auf der Leinwand tanzen Rot-Gewandete in einem monotonen Rhythmus und singen endlos *ela-ela-ela*. Im Kino beginnen einige mitzusingen. Alix und Didi tauschen Blicke. Endlich erscheint der Baghwan. Er trägt ein schmales weißes Gewand.

"Soll ich mir auch so ein Nachthemd zulegen?" flüstert Didi. Doch Alix macht "schhh". Sie hat Mühe, das indisch gefärbte Englisch des Bhagwan zu verstehen.

Trut, sagt der Guru, *is never old, trut is ever fresh. Trut* ist niemals alt, *Trut* ist immer frisch. *Trut can never be transferred.* Bei der dritten Wiederholung von *trut* begreift Alix, dass der Guru kein th sprechen kann, und dass mit *trut* - truth gemeint ist, Wahrheit. Ach so! Wahrheit

kann niemals übermittelt werden. *Nobody can give it, nobody can take it.* Niemand kann sie geben, niemand sie nehmen. *Trut arises in the flowering of your own heart.* Wahrheit kann nur im eigenen Herzen erblühen.
"Ziemlich poetisch. Im Grunde ähnlich wie bei Sokrates. Der will Wahrheit auch nicht intellektuell, sondern durch Erfahrung erschließen", flüstert sie Didi zu, als im Bild wieder viele Leute zu sehen sind.
Didi kann die Parallele zu Sokrates nicht nachvollziehen, zieht aber die von Poona zum Fitness Club. Denn die Rot-Gewandeten hopsen nun mit voller Kraft und rufen bei jedem Sprung lautstark "Huh!"
Bei seinem nächsten Auftritt drückt der Guru einem Mann seinen Finger auf die Stirn und rüttelte an ihm, bis er in Trance gerät. Auch die Frauen, die den nach hinten Sinkenden auffangen, sehen abgedreht aus. Ihre Gesichter sind schweißüberströmt.
"Wie bei Hitler", meint Didi. "Bei dem sind die Leute auch ausgeflippt. Ich hab mal gelesen, dass die Frauen ihre Blase nicht halten konnten, wenn sie den Führer sahen. Es muss unglaublich gestunken haben."
"Du bist unmöglich", zischt Alix.
Als auf der Leinwand eine Frau mit bloßen Brüsten erscheint, ist Didi angetan. "Na bitte. Jetzt kommt der Film endlich in Fahrt."
Er sieht fasziniert zu, wie Männer und Frauen ihre Kleider abwerfen. Schließlich wird splitterfasernackt

getanzt, manche wälzen sich am Boden. Schläge werden ausgeteilt. Andere umarmen sich. Es wird gelacht, geweint, gebrüllt, gerangelt und umarmt.
Alix kommt sich vor wie ein Voyeur. Sie mag es nicht, Menschen so hemmungslos ekstatisch und in jeder Hinsicht entblößt zu sehen. Sie ist froh, als der Einblick in die Therapiegruppe vorbei ist und von einem normalen Interview abgelöst wird.

Nach der Vorstellung landen Didi und Alix in einer Kneipe. Didi nimmt zwei Kölsch vom Kranz des Köbes und eröffnet die Debatte über den Film.
"Am besten fand ich die Rudelbums-Szenen. Vielleicht sollten wir die mal nachspielen."
"Quatsch!" Alix reagiert unwirsch. "Da hat niemand gebumst. Darum ging es doch gar nicht."
"Nicht?"
"Die waren zwar nackt, aber... also, ich fand das total unerotisch."
Alix senkt ihre Stimme. "Die Schwänze lagen doch völlig unbeachtet herum."
"Jetzt wo du es sagst – stimmt." Didi grinst. "Ich hab natürlich mehr auf die Frauen geachtet. Bei denen sieht man das nicht so."
Er stellt sein leeres Glas ab. Der Köbes tauscht es umgehend gegen ein volles aus.
"Es ging gar nicht in erster Linie um Sex. Es ging um

Weiterentwicklung, um Meditation, um..."
"Wusstest du eigentlich, dass Baghwan Führer heißt?" provoziert Didi.
"Was soll das denn jetzt! Du kannst den doch nicht mit Hitler vergleichen."
"Warum nicht? Diese blinde Begeisterung bei seiner Gefolgschaft."
"Hitler wollte Krieg. Und dieser... dieser Inder, der will Frieden, Spiritualität, Höherentwicklung."
"Genau, den Übermenschen! Die Swastika stammt übrigens auch aus Indien", setzt Didi noch eins drauf. "Hitler hat sein Hakenkreuz aus Indien bezogen, wusstest Du das?"
"Ja, Nele hat mir Fotos gezeigt. Aber das hat in Indien eine völlig andere Bedeutung. Außerdem laufen die Haken bei Hitler anders herum."
Alix hat das Gefühl, dass Didi lauter Dinge in einen Topf wirft, die nicht in einen Topf gehören.
"Hast Du eigentlich deine Freundin Nele irgendwo gesehen?"
"Ja, ich glaube beim Tai Chi, ganz kurz."
"Beim Tai Chi? Oh, dann war sie ja angezogen."
"Blödmann."
Alix knufft Didi in die Seite.
"Wann kommt sie eigentlich zurück?"
"Keine Ahnung. Vermutlich, wenn ihr Geld alle ist."

Vorbereitungen

Die nächste Zeit ist mit Vorbereitungen für den Sokrates-Film gefüllt. Ein erster Drehplan wird erstellt. Für die Außenaufnahmen in Griechenland werden fünf Tage mit kleinem Team bewilligt. Alix wird nur mit Kamera- und Tonmann nach Athen fliegen, Beleuchtung und technisches Equipment werden vom griechischen Sender gestellt. Die Telexe zwischen den Ländern laufen heiß.
Ebenso der Telefondraht zwischen Alix und dem Philosophen. Dr. Holger Wollmann will Nachbesserungen. Sie diskutieren in endlosen Schleifen. Alix versucht, seine Einwände für die Dialoge fruchtbar zu machen, und endlich gibt es eine Fassung, die sie dem Schauspieler schicken darf.
Höchste Zeit, sich um die Besetzung der anderen Rollen zu kümmern. Karteikarten und Fotos werden gesichtet, Terminanfragen abgeschickt, Treffen mit verschiedenen Schauspielern arrangiert.
Währenddessen hat Herr Wittig eine erste Planung für den Gesamtdreh aufgestellt. Zwischen dem Auslandsdreh und dem in Deutschland ist eine erste Schneideraumphase vorgesehen. Das Gespräch mit der Cutterin

verläuft vielversprechend. Auch den hauseigenen Kameramann kann Alix für das Projekt begeistern. Walter Ruff hat Spielfilme gemacht, bevor er sich beim WDR fest anstellen ließ. Jetzt freut er sich auf die ungewöhnliche Aufgabe, denn im Senderalltag fühlt er sich oft unterfordert.

Auch das Treffen mit dem Ausstatter läuft gut. Dabei fängt es mit einer schlechten Nachricht an: Im geplanten Drehzeitraum ist kein Studio frei. Doch Claudio Schedler findet, dass Originalschauplätze ohnehin mehr Flair haben. Er hat schon eine leerstehende Fabrikhalle gefunden. In dem rauen Ambiente ist für alles Platz: für die Bühne und für den Schneideraum. Kurze Wege, alles an einem Ort.

Auch der Schauspieler HC Beckl sagt zu, nachdem er das Drehbuch gelesen hat. Der Vertrag für die Rolle Sokrates kann ausgefertigt werden, die Kostümbildnerin darf seine Maße erfragen.

Mit dieser guten Nachricht geht Alix in die letzte Redaktionsbesprechung, bevor Dr. Bonhoff in die Südsee entschwindet. Er wird acht Wochen unterwegs sein. Aber das ist kein Problem. Er hat die letzte Drehbuchfassung abgesegnet. Den Rest überlässt er der Regisseurin und den verdienten Kräften des Hauses. Alix wünscht ihm eine gute Reise und packt selber die Koffer für Griechenland.

"Du hast es gut."
Didi dreht eifersüchtig ihr Flugticket hin und her.
"Wer weiß. Februar in Athen, kann ganz schön kalt sein. Wahrscheinlich hat das Hotel nicht mal Heizung."
"Du Arme", spottet Didi.
Alix packt einen Pullover ein.
"Soll ich dir noch lange Unterhosen und eine Wärmflasche bringen?"
"Veräppeln kann ich mich alleine."
Alix versucht, sich zu konzentrieren, während Didi um sie herumstrolcht.
"Was machst du eigentlich in Delphi? War der Sokrates nicht so ein Typ wie Kant, immer nur zu Hause?"
"Schon, aber die Motivfotos aus Athen waren ziemlich Scheiße..."
Didi fläzt sich aufs Bett und sieht sie provozierend an.
"Und da gönnt Madame sich einen kleinen Ausflug nach Delphi, klar."
"Das Orakel war wichtig für Sokrates, auch wenn er selber nie in Delphi war. Es wäre zu teuer für ihn gewesen. Aber er hatte Gönner, die das Orakel für ihn befragt haben."
"Verstehe, was nicht passt, wird passend gemacht."
Didi verschränkt seine Arme hinter dem Kopf. Alix rollt eine Hose so zusammen, quetscht sie in eine Lücke und verteidigt sich.
"Es *ist* passend. Sokrates hat nur getan, wozu ihn der

Gott Apoll aufgefordert hat. Und der Sitz von Apollon ist nun mal in Delphi."
"Aber mir vorwerfen, dass ich mir alles so hinbiege, wie ich es brauche." Didi feixt über beide Backen.
"Wolltest du nicht kochen?"
"Sonnenaufgang hinter den Säulen des Tholos", sagt Didi verträumt. "Damals war ich noch jung und schön."
"Du warst mal in Delphi?"
"Dort habe ich meine Unschuld verloren."
Er versucht, sie aufs Bett zu ziehen, aber Alix wehrt ihn ab. Daraufhin versucht er es mit verbaler Verführung.
"Erdmutter Gaia hat mich höchstpersönlich in ihre Geheimnisse eingeweiht, unter dem Einfluss pythischer Dämpfe."
"Sprich Hasch", meint sie trocken.
"Auch die Weissagungen der Pythia wurden vom Rauschgift beflügelt." Didi erhebt sich mit einer eleganten Bewegung, macht eine höfische Geste und verzieht sich.
Alix vergleicht den Kofferinhalt mit ihrer Gepäckliste. Sie streicht durch, was sie schon hat, als Didi sich von hinten an sie heranschleicht und ihr einen Hut überstülpt. Sie schreit auf.
"Musst du mich so erschrecken!"
"Ein Hut für alle Fälle, gegen Regen und Sonne."
"Na gut."

Sie nimmt den Hut und polstert ihn mit Unterwäsche aus. Didi lehnt am Türrahmen und betrachtet sie.
"Nicht, dass du mir unseren guten Walter verführst."
"Welchen Walter?", fragt Alix genervt.
"Dein Kameramann."
"Ich hab doch keinen Vaterkomplex!"
"Er kann immer noch charmant sein – wenn er nicht zu tief ins Glas geguckt hat."
"Pass du nur auf, dass du an Karneval nicht zu tief ins Glas guckst."
Sie gibt Didi einen Kuss und schiebt ihn aus dem Schlafzimmer.
"Ehm – wenn Post in Sachen Erbschaft kommt, während du weg bist, was soll ich dann machen?"
"Welche Erbschaft?" fragt Alix.
"Schon gut. In zehn Minuten gibt es Essen."

Athen

Am Flughafen steht ein großer Mann mit einem Schild der staatlichen Fernsehgesellschaft Elliniki Radiofonia Tileorasi. Er stellt sich als Phileas vor. "Das ist der, der Freundschaft schenkt."
"Wenn das kein gutes Zeichen für unsere Zusammenarbeit ist", meint Alix.
"Jo", stellt sich der Tonmann vor.
"Walter. - Dein Deutsch hört sich nach Ruhrpott an."
"Wanne Eickel."
"Is nich wahr! Kennst du etwa den Eisladen hinterm Hauptbahnhof?"
"Aber klar doch."
Die Männer sind umstandslos zum Du übergegangen. Alix bleibt da als Teamchefin und Frau außen vor. Deshalb nutzt sie einen Zwischenstopp im Café, um ein allgemeines Arbeits-Du auszurufen.
"Alexandra, Kurzform Alix."
Sie stoßen mit dickwandigen Tassen an.
"Ich liebe diesen süßen türkischen Kaffee", sagt Alix, um die verlegene Pause mit etwas Harmlosem aufzulockern. Doch es ist nicht harmlos.

"Türkisch?" protestiert Phileas. "Seit dem Zypernkonflikt heißt es hierzulande griechischer Kaffee, Eleniko glicos."
"Oh, sorry. Merk ich mir. – Schmeckt trotzdem gut."
Sie erntet ein Lächeln und schlürft das fettige Getränk, bis sie den feinkörnigen Satz zwischen den Zähnen spürt. Auf der Weiterfahrt hören sie Musik von Theodorakis. Es macht sich ein wenig Urlaubsstimmung breit, trotz des grauen Himmels.
Das Hotel in der Innenstadt empfängt sie mit verstaubten Plüschsesseln, Insektizidgeruch und Winterkühle. Alix genehmigt sich und dem Team eine Viertelstunde zum Einchecken. Das Zimmer ist düster. Im Hochsommer mag das etwas Beschützendes haben. In Kombination mit muffiger Kälte wirkt es bedrückend.
Alix wuchtet ihren Koffer auf den gobelinartigen Überwurf und löst eine Staubwolke aus. Das Antimottenmittel stinkt hier noch penetranter als in der Lobby. Sie zieht die bräunlichen Samtportieren beiseite und versucht, das Fenster zu öffnen. Erst als sie mit einer Hand am Griff zieht und mit der anderen gegen den Rahmen hält, hat sie Erfolg.
Der geschnitzte Schrank verfügt über keinerlei Innenfächer. So lässt Alix das meiste im Koffer und hängt nur Bluse und Jacke auf. Die Kleiderbügel immerhin sind mit gerafftem Taft bezogen.

Vornehm geht die Welt zugrunde. Was hat die Tante hier zu suchen? Wieso wird sie von ihren Sprüchen verfolgt? Diese verfluchte Erbschaft. Sie will jetzt nicht daran denken. Sie knallt den Kofferdeckel zu und schnappt sich den Schlüssel. Auf geht es.

Der Rundgang über die Agora ist enttäuschend. Die Tafeln, auf denen einst die Anklage gegen Sokrates erhoben wurde, sind keine Originale, sondern schäbige Kopien, die zwischen Stelen aus schadhaftem Beton hängen. Auch die Wandelhalle ist neueren Datums. Immerhin geben die Säulen dem langgezogenen Raum ein antikes Flair. Mit etwas Fantasie kann man sich vorstellen, dass Sokrates hier zwischen Marktständen wandelte und die Leute mit seinen Fragen verwirrte. Alix schlägt eine langsame Kamerafahrt vor.
"Gut, dann brauchen wir den Dolly gleich morgen früh", meint Walter.
"Den Dolly?" Phileas sieht ihn überrascht an.
"Am besten auch Schienen."
"Schienen", wiederholt Phileas verständnislos. Er weiß nichts davon, dass Dolly und Schienen angefordert wurden. Er glaubt auch nicht, dass sie jetzt noch, so kurzfristig, besorgt werden können.
Ratloses Schweigen.

"Ich könnte vielleicht einen Rollstuhl besorgen", schlägt Phileas vor. Walter testet den Marmorboden mit dem Fuß und nickt.
"Das müsste gehen. Wäre nicht das erste Mal, dass ich mit meinem Baby im Rollstuhl geschoben werde."
"Gut." Alix sieht sich suchend um.
"Und wo ist die Sokrates-Büste?"
"Im Museum", antwortet Phileas. "Allerdings ist der Kopf durch die Luftverschmutzung halb weggefressen. Die besser erhaltenen Büsten sind in Neapel, Berlin oder sonst wo auf der Welt.
"Hm", meint Alix. "Dann wird das wohl Teil der Story werden müssen. – Auf zum Gefängnis."
"Zu welchem?", lautet die Gegenfrage.
"Zu dem von Sokrates natürlich."
"Seit kurzem gibt es zwei. Die Archäologen streiten noch darüber, welches echt ist."
"Dann nehmen wir das, was besser aussieht", entscheidet Alix.
Das Erste liegt an einer lauten Straße. Ein neuzeitliches Gitter trennt die Touristen von einer flachen Höhle, in der sich Plastiktüten und Coladosen angesammelt haben. Nicht besonders attraktiv.
Die zweite Gefängnismöglichkeit besteht aus Steinen im Gras. Phileas zeigt auf eine Lücke und erklärt, dort sei der Durchgang zum Bad.
"Aha."

Die Deutschen tauschen enttäuschte Blicke.
"Man glaubt, das hier sei die Zelle von Sokrates gewesen. Und die Rundung da vorne wird als Zuber gedeutet. Sokrates hat ja nach einem Bad verlangt, bevor er den Schierlingsbecher trank. "
Alix starrt auf das Unkraut in der Bodenvertiefung und kommt zu dem Schluss, dass Archäologen noch mehr Phantasie haben als Science-Fiction-Autoren.

Auf dem Rückweg entdeckt sie einen Durchblick auf die Akropolis. Im Vordergrund ist eine Reklame zu sehen. Sie kneift ein Auge zu, hält Daumen und Zeigefinger als Motivsucher vors Auge und tippt Walter auf die Schulter.
"Guck mal, wenn wir den ersten Buchstaben abschneiden, dann haben wir oben die Akropolis und darunter steht *over*. Wie findest du das?"
"Ziemlich passend. Nehmen wir auf."
In der Altstadt sieht Walter einen pittoresken Laden. Ein Schuster sitzt davor und näht Sandalen mit der Hand.
"Endlich mal ein Motiv", meint er. "Das sah vor zweitausend Jahren auch nicht anders aus."
Doch Alix sieht keine Möglichkeit, den Schuster ins Konzept einzubauen. "Leider ist Sokrates barfuß gegangen."

Erst an der nächsten Straßenecke hat sie einen Geistesblitz. Sie bleibt abrupt stehen.
"Vielleicht geht es doch. Sokrates hat mal einen Schuster befragt. Es ging ihm darum herauszufinden, was einen Schuster dazu befähigt, *gute* Schuhe zu fertigen. Er fragte also: Was befähigt dich dazu, gute Schuhe zu machen? Der Schuster sagte, das habe er von seinem Vater gelernt. Aber damit war Sokrates nicht zufrieden. Er bohrte nach. Er wollte wissen, was das für ein Wissen sei, und was die Grundlage dieses Wissens, dann die Grundlage von der Grundlage... Kurz, er löcherte den Schuster so lange, bis der ihn genervt rausschmiss."
"Na bitte!" sagt Walter und kehrt um. "Dann lass uns mal mit dem Schuster reden. Bessere Bilder kriegst du nicht für die Story."

Am Abend ist das deutsche Team unter sich. Alix hat ihr Gemüt mit Souvlaki besänftigt und sieht die Tagesausbeute in freundlichem Licht.
"Die Wachablösung vor dem Parlament gefällt mir. Das ist echt skurril, wie die Jungs ihre Beine schmeißen."
"Das Motiv kennt man natürlich aus der Tagesschau", wendet Walter ein.
"Ja, aber nur als kurzes Schnittbild. Wir nehmen das natürlich ganz anders auf, viel länger."
"Und Mittelachse, streng statisch?"

"Genau. Dazu ein Text über die heutige und die damalige Demokratie. Jetzt müssen wir nur noch überlegen, was wir mit dieser hässlichen Agora machen."
Der dritte Ouzo bringt Walter auf die Idee, sie aus der vorbeifahrenden Stadtbahn zu filmen. Alix Bedenken, dass sie dafür so schnell keine Dreherlaubnis bekommen, wischt er beiseite.
"Wir machen Guerilla-Dreh. Wir steigen einfach ein, ich nehme die Mühle auf die Schulter und dann haben wir das Bild im Kasten, bevor irgendjemand fragen kann. An der nächsten Haltestelle sind wir wieder draußen."
Alix grinst. Das ist nach ihrem Geschmack.
Jo ist da anderer Meinung, aber er hält sich bedeckt.

Vorm Einschlafen versucht Alix zu Hause anzurufen. Es läutet ins Leere. Natürlich! In Köln herrscht Ausnahmezustand. Klar, dass Didi nicht zu Hause ist. An Wieverfastelovend gibt es in der Domstadt nur zwei Möglichkeiten: Flüchten oder Standhalten. Und Didi denkt nicht daran, zu flüchten. Er genießt es, mit wild gewordenen Sekretärinnen zu tanzen und sich abbützen zu lassen, bis sich der Spaß aus den Gängen des Senders in die umliegenden Kneipen verlagert.
Alix grinst und stellt sich vor, wie er lange nach Mitternacht schwankend zu Hause ankommt und sich voll bekleidet aufs Bett fallen lässt. Sie kennt seinen koma-

ähnlichen Schlaf nach extensivem Alkoholgenuss. Meist schnarcht er dann so grauenvoll, dass sie ihm die Nase zuhalten muss, bis er auf die Seite rollt. Wie gut, dass sie weit weg ist. Sie wirft ihm einen Luftkuss zu, löscht das Licht und stellt sich vor, wie er seinen Kater am nächsten Morgen mit dem großmütterlichen Rezept bekämpft: Zitronensaft mit Kaffee. Sie sieht ihn vor sich, wie er das Gesicht verzieht, weil es so scheußlich schmeckt, wie er diese kleine Strafe willig auf sich nimmt, als Ausgleich für seinen Exzess. Sie gleitet sanft in einen tiefen Schlaf.

Delphi

Nach dem regengrauen Athen werden sie in Delphi von einer linden Frühlingsluft empfangen. Weiße Wölkchen stehen über der bergig grünen Landschaft. Stadion und Tempel sind gut erhalten. Sie lassen sich Zeit für die ersten Aufnahmen. Sie lassen die Kamera stehen, schlendern müßig herum. Außer ihnen ist niemand da. Ein Steinkegel zieht Alix magisch an.
"Der Nabel der Welt!" liest sie vor. Dann legt sie ihre Hand auf den Stein und kitzelt ihn.
"Machst Du das bei mir auch mal?"

"Nö."
Die Männer lachen, gehen weiter. Als nichts mehr zu hören ist als das Summen von Bienen, legt Alix ihre Finger noch einmal auf den Nabel der Welt. Ihr ist, als könne sie die Jahrtausende spüren. Dieser Ort ist älter als Sokrates, älter als Apollon, und älter als das Patriarchat. Sie meint, den gelassenen Frieden der Erdgöttin Gaia zu spüren.
"Alix!", ruft Walter und winkt.
Er hat eine Kameraposition entdeckt, die er ihr zeigen will.
"Komme!"

Später, am kastalischen Quell ist Alix wieder, als rutsche sie durch die Zeiten. Sie sieht begeistert auf den Tümpel und will das Schattenspiel auf dem heiligen Wasser aufnehmen, sich bewegende Sonnenschlieren, zwei Minuten lang.
Walter sperrt sich, weist auf das teure Filmmaterial hin.
Alix versucht, ihn mit einer Geschichte zu überzeugen. Die geringelten Wasserwellen seien ein Symbol für die Schlange Python, welche den kastalischen Quell bewachte, das Heiligtum der Erdgöttin Gaia.
Walter und Jo wechseln Blicke. Sie haben keine Ahnung, worauf Alix mit ihrem Gerede hinaus will.
"Apollon tötete die Python, um sich ihre mythischen Kräfte anzueignen und sich selbst anstelle der Erdgöt-

tin zu inthronisieren. Mit diesem Schlangenmord begann der Siegeszug des Patriarchats."
"Und was hat das mit Sokrates zu tun?"
Alix lässt sich nicht beirren.
"Das ist die Vorgeschichte. Nach dem Mord an der Python lebte das alte weibliche Wissen nur noch in den Weissagungen der Pythia fort. Aber die Wahrsagerin wurde in den Keller verbannt. Das haben wir ja vorhin gefilmt. Sie durfte nicht direkt mit den Menschen sprechen. Alles, was sie sagte, ging durch die Zensur der männlichen Priesterschaft. Und die drehten ihre Aussagen so, dass es politisch passte."
Angesichts der gelangweilten Mienen der Männer verzichtet Alix darauf, sie überzeugen zu wollen. Aber sie besteht darauf, den Quell zu filmen.
"Ok, nur eine Minute, keine zwei."
Die Männer fügen sich achselzuckend.
Dass Alix selber nicht weiß, ob im fertigen Film Platz für die Geschichte sein wird, behält sie lieber für sich.

Nach dem Abendessen kommt sie noch einmal auf das Mann-Frau-Thema zurück.
"Apollon hatte zwei Wahlsprüche: *Erkenne dich selbst* und: *Nichts allzu sehr.* An diesen Sprüchen kann man die Grenze vom Matriarchat zum Patriarchat festmachen. Leider hat sich Sokrates total auf das männliche *Erkenne dich selbst* fokussiert.

Walter und Jo haben auf Durchzug geschaltet und interessieren sich mehr für den Mückenschwarm an der Lampe als für Alix´Ausführungen. Sie versucht, sich verständlicher auszudrücken.

"Was ich damit meine, ist Folgendes: Sokrates hat permanent kluge Reden geschwungen, anstatt Geld für seine Familie ranzuschaffen. Für ihn selbst war das okay, er ist von seinen Freunden üppig bewirtet worden. Aber seine Kinder haben gehungert."

Walter gießt Ouzo nach. Jo legt die Hand über sein Glas. Auch Alix schüttelt den Kopf und redet weiter.

"Die arme Xanthippe musste das dann ausbaden. Sie hatte die Arschkarte. Aber Sokrates wird von allen bewundert."

So langsam wird es den Männern zu viel. Sie sind ihren Frauen nicht entkommen, um sich diesen feministischen Quark auch noch in Griechenland anzuhören. Sie schießen zurück. Schließlich bestreiten sie einen Großteil der Haushaltskasse, machen brav den Abwasch und bringen den Müll runter.

"Aber das reicht euch Weibern ja nicht!"

"Genau! Und wenn du dich wehrst, hast du gleich ein *Macho* an der Stirn kleben!"

"Ich hab ja nicht euch gemeint", rudert Alix zurück. "Aber wäre Sokrates dem weiblichen *Nichts allzu sehr* nur ein bisschen näher gewesen, dann hätte er nicht sterben müssen."

"Schreib die Geschichte doch mal um!", spottet Walter. Schweigen breitet sich aus. Der Mond beleuchtet die Szenerie. Alix ist plötzlich müde. Sie steht auf.
"Morgen früh sind die apollinischen Säulen dran. Wir treffen uns eine halbe Stunde vor Sonnenaufgang."
"Oh nee!", entfährt es Walter.
Jo sieht auf die Uhr.
"Da ist die vorgeschriebene Ruhezeit aber noch nicht um."
"Hast du nicht eben noch für *nichts allzu sehr* plädiert?"
Alix setzt sich wieder und zündet sich eine Zigarette an.

"Dafür dass du eigentlich nicht rauchst, rauchst du heute ziemlich viel", konstatiert Walter.
"Ich rauche nur, wenn ich viel frische Luft habe. In Köln hör ich wieder damit auf."
Sie sieht Walter in die Augen.
"Wir haben uns doch extra erkundigt, wo die Sonne aufgeht, damit wir die Säulen im Gegenlicht aufnehmen können."
"Wenn es bewölkt ist, gibt es kein Gegenlicht. Und ich hab gehört, morgen soll es regnen."
Alix sieht zum Sternenhimmel. "Wer sagt das?"
Schweigen.
"Du willst doch selber schöne Bilder haben."
Walter testet, ob in einer der Bierflaschen noch ein Rest ist. Als er keinen findet, trinkt er weiter Ouzo.

"Wenn es wirklich bewölkt ist, dann stellen wir den Wecker wieder aus und drehen uns noch mal um", schlägt Alix vor.
"Wenn ich einmal wach bin, kann ich nicht mehr schlafen."
"Gut. Dann stelle *ich* mir den Wecker, gucke nach dem Himmel, und je nachdem klopf ich dann an eure Türen."
"Du kriegst alles durch, was du willst", mault Walter.
Alix grinst. Sie nimmt es als Kompliment.
"Friede?"
Sie hält eine Hand hoch. Er schlägt dagegen.

Gegenwind

Die Maschine landet gegen Mitternacht auf dem Flughafen Köln – Bonn. Alix zieht als Erste ihren Koffer vom Band. Die Verabschiedung fällt herzlich aus. Walter und Jo versprechen, im Schneideraum vorbeizusehen. Vor der Schleuse dreht Alix sich noch einmal um und winkt.

Als die Türe aufgeht, sieht sie nur noch Didi und fliegt in seine Arme.

"Ich hab uns ein Hotelzimmer gemietet", sagt er.

"Was hast du?" Alix bleibt verblüfft stehen.

"Meine Maschine nach Berlin geht um halb sieben. Lohnt sich doch nicht für die paar Stunden extra nach Hause zu fahren."

Er macht ein undurchdringliches Gesicht.

"Blödmann. Beinahe hättest du mich gehabt."

Sie lacht und schmiegt sich an ihn.

"Na", fragt Didi auf dem Weg nach Hause, "wie war es mit Walter?"

"Das erzähl ich dir, wenn du mir gestehst, was du an Karneval getrieben hast."

"Ohhhh - schlimme Dinge."

"Na warte!", droht Alix.

Kaum in der Wohnung, fallen sie ausgehungert übereinander her. Danach liegen sie glücklich erschöpft nebeneinander.
"Noch drei Stunden. Ich bestell mir eine Taxe, dann kannst du weiterschlafen."
Doch das lehnt Alix ab.
"Komm, schneller schlafen."
Sie rollt sich in seine Armbeuge und schließt die Augen.

Auf der morgendlichen Fahrt zum Flughafen warnt Didi sie vor. Auf dem Anrufbeantworter warte eine unangenehme Nachricht auf sie. Vermutlich sei ihr der Darsteller des Sokrates abhandengekommen.
"Was!?"
Vor lauter Schreck übersieht Alix das Abbiegeschild zum Flughafen.
"Rechts!" schreit Didi.
Alix kriegt gerade noch die Kurve.
"Ein Glück. Ich wollte jetzt nicht auf dem Landweg nach Berlin", grummelt er.
"Das ist doch das Letzte", schimpft Alix. "Da habe ich mich extra für diesen Schauspieler mit dem Philosophen rumgeprügelt, und jetzt sagt er ab!"
"Er hat wohl die Chance bekommen, selber Theaterregie zu führen, und das ist ihm wichtiger."

"Arsch" knurrt Alix.
"Bis Drehbeginn findest du locker Ersatz."
Sie hält vor dem Eingang des Terminals.
"Gönn dir einen Puffertag und dann mit frischer Kraft voraus." Er beugt sich zu ihr für einen Abschiedskuss.

Zu Hause wird Alix von den Katzen mit Nichtachtung für ihre Abwesenheit gestraft. Selbst der frisch gefüllte Fressnapf wird hoheitsvoll ignoriert. Sie begibt sich in ihr Arbeitszimmer und hört den Anrufbeantworter ab.
HC Beckl entschuldigt sich mehrfach für die Unannehmlichkeiten, die er ihr bereitet und hofft auf Verständnis. Das kann Alix leider nicht aufbringen. Sie streckt dem Anrufbeantworter die Zunge raus.
Dann wendet sie sich der gesammelten Post zu, und verteilt sie auf drei Stapel: privat – wichtig - hat Zeit. Privat ist nur die Postkarte von Nele. Ein dickbäuchiger Ganesha mit Rüssel grüßt in aufdringlichen Farben. Die Griechen setzen dem menschlichen Körper einen Stierkopf auf, die Inder einen Elefantenkopf. Alix fragt sich, warum diese Gott-Mensch-Tierverbindungen kulturübergreifend so beliebt sind, findet in ihrem müden Kopf aber keine Erklärung.
Oben auf dem Stapel WICHTIG liegt ein DIN-A4-Umschlag mit dem Stempel vom Amtsgericht Hohenems. Er ist an *Fräulein* Elisabeth Alexandra Hering adressiert. Alix streicht das *Fräulein* durch und

ersetzt es durch *Frau.* Eine Symbolhandlung ohne jegliche Auswirkung. Sie wiegt das Kuvert unentschlossen in der Hand. Es fühlt sich nicht gut an. Alix wird von einer plötzlichen Schwere befallen. Ihre Augen kribbeln, und ihr Magen wirkt hohl.

Es ist nichts so dringend, als dass es durch längeres Lagern nicht noch dringender werden könnte.

Manchmal sind die Sprüche ihres Vaters gar nicht so schlecht, findet sie und beschließt, sich einen Kakao und ein Marmeladenbrot zu machen. *Essen und trinken hält Leib und Seele zusammen.* Sie sollte den Vater mal wieder anrufen. Aber nicht jetzt. Jetzt verkriecht sie sich erst einmal in den Schmöker, der neben dem Bett liegt.

Als sie wach wird, ist es Mittag. Sie dreht sich zur anderen Seite. Beim zweiten Wachwerden ist es halb fünf. Ihr Hungergefühl erinnert sie daran, dass sie das Mittagessen verschlafen hat. Sie sichtet den Kühlschrankinhalt. Ei, Brot, Schinken und Tomate. Fast alles da für ihr Lieblingsschnellgericht, nur der Käse fehlt. Sie haut sich einen *Strammen Max* ohne Käse in die Pfanne und geht danach einkaufen.

Als das erledigt ist, gießt sie die Blumen. Dann gibt es nichts mehr, was sie vor ihrem Schreibtisch bewahrt. Sie betrachtet den Umschlag des Amtsgerichts. Er ist dünn. Auf eine Waagschale gelegt, würde sich die Waage nur wenig bewegen. Auf einer ideellen Waag-

schale dagegen ist der Neigungswinkel ziemlich hoch: Hier Reichtum, dort Armut. Blödsinn, schimpft Alix mit sich selbst. Von Armut zu sprechen ist heillos übertrieben. Es geht ihr auch ohne Erbschaft gut.
Normale Briefe öffnet sie schon mal mit dem Zeigefinger. Aber das kommt hier nicht in Frage. Ein richtiger Brieföffner muss her. Sie sucht den schmalen Dolch mit dem Quarzgriff, den Didi ihr zu Weihnachten geschenkt hat? Da ist er. Nun gibt es keinen Aufschub mehr. Die Schneide ist scharf. Die Schnittfläche ist glatt, keine Papierkrümel hängen daran. Alix atmet tief durch, dann liest sie das Anschreiben.

Nachlaßsache Alexandra Theodora Pascher
Sehr geehrte Frau Hering,
Dem Nachlaßgericht wurden die in Kopie beiliegenden Kopien von Verfügungen von Todes wegen vorgelegt von Erich Baumöller, Marktstr. 41, 6845 Hohenems, gesetzlich vertreten durch Sieglinde Talheim...

Was für ein Deutsch! Alix schüttelt den Kopf.

Es wurde die Ausstellung einer Einantwortungsurkunde...

Was bitte ist eine Einantwortungsurkunde? Sie hofft, dass es sich aus dem Zusammenhang ergibt, und liest weiter.

Es wurde die Ausstellung einer Einantwortungsurkunde beantragt, die den Antragsteller als Alleinerben ausweisen soll.

Wie bitte? Alleinerbe? Wer denn? – Doch nicht der Antragsteller Erich Baumöller, vertreten durch Frau Talheim? Das ist absurd. Eric ist doch gar nicht in der Lage... Er kann gar nichts mehr anfangen mit dem ganzen Kram! Er ist offiziell für nicht geschäftsfähig erklärt worden!

Gesetzesgemäß ist ein Testament formgültig, wenn es von der Verstorbenen eigenhändig geschrieben und unterschrieben wurde. Ein gemeinschaftliches Testament ist formgültig, wenn es wenigstens von einem Ehegatten eigenhändig geschrieben und von beiden Ehegatten unterschrieben wurde.

Österreichisches Juristendeutsch ist noch unverständlicher als deutsches.

Es wird Ihnen Gelegenheit gegeben, etwaige Bedenken gegen die Gültigkeit des Testaments geltend zu machen. Falls bis zum 15. 3. 1980 eine Erklärung von Ihnen nicht eingeht, wird angenommen, dass Sie keine Einwendungen erheben. Hochachtungsvoll
A.A.
Nickl
Amtsrat

Immerhin kann sie Einspruch erheben. Aber wogegen genau? Das handschriftliche Testament liegt in einer Kopie der Kopie bei. Kopie einer Kopie? Gibt es etwa kein Original? Egal. Sie muss es jetzt erst einmal lesen.

Gemeinschaftliches Testament
Wir, die Eheleute Alexandra Theodora Baumöller, geborene Pascher, verwitwete Ebersbach und Erich Baumöller errichten das nachfolgende gemeinschaftliche Testament:
1) Derjenige von uns, der den anderen überlebt, wird Vorerbe des Erstversterbenden.
2) Nacherben des Zuerstversterbenden von uns und Erbe des Zuletztversterbenden, werden

> *1. Carl Ferdinand Pascher*
> *2. Elisabeth Alexandra Hering*

Vorerbe – Nacherbe. Was bedeutet das?
Alix wählt die Nummer der Anwältin, erreicht aber nur die Bandansage. Kein Wunder. Es ist schon halb sieben. Alix lehnt sich zurück. Nun ist eingetreten, was sie befürchtet hat. Jetzt ist es Fakt. Erstaunt stellt sie fest, dass sie ziemlich ruhig ist. Schockruhe vielleicht? Aber da ist kein Schock. Zu ihrer Überraschung stellt sie sogar eine gewisse Erleichterung fest. Dann eben keine Erbschaft. Das Telefon klingelt.
In der Annahme, dass es Didi ist, meldete sie sich mit einem langgezogenen "Hallo?".

Doch es ist nicht Didi. Es ist die Kostümbildnerin. Sie meldet sich, weil sie ein Problem hat. So etwas sei ihr noch nie passiert. Sie hat Stoffe gekauft und die Quittung dafür eingereicht, ganz normal. Aber jetzt hat sie ihr Geld nicht wiederbekommen.
"Der Etat ist gesperrt! Aber ich kann den Stoff doch nicht aus eigener Tasche bezahlen?"
"Nein, natürlich nicht."
Alix ist perplex. Sie betrachtet den Entwurf für das Sokrates-Kostüm, das einen Ehrenplatz an ihrer Pinnwand einnimmt, und verspricht, sich um die Sache zu kümmern.
Als sie den Hörer auflegt, bleibt sie wie betäubt sitzen. Lenin springt auf den Schreibtisch. Anscheinend hat er gespürt, dass sie trostbedürftig ist. Gedankenverloren krault Alix ihm den Bauch.

Kämpfen

Gleich am nächsten Morgen stürmt Alix in das Büro des Produktionsleiters.

"Stimmt es, dass die Kostümbildnerin kein Geld bekommt, um Stoffe zu kaufen?"

"Stimmt."

Alix schnappt nach Luft.

Herr Wittig lässt sich zu einer Erklärung herab.

"Die Gesamtkalkulation wurde erst nach der Abreise von Dr. Bonhoff fertig. Deshalb konnte sie nicht mehr unterzeichnet werden."

"Aber das Drehbuch ist doch abgenommen! Wir haben doch sogar schon gedreht!"

"Die Genehmigung für den dokumentarischen Dreh hat Dr. Bonhoff noch unterschrieben."

Herr Wittig versteckt sich hinter einem blasierten Gesichtsausdruck.

"Und wieso wird am Bühnenbild gearbeitet?"

"Das sind interne Kosten", sagt Herr Wittig, "Herr Schedler ist fest angestellt."

"Ja sollen die Schauspieler nackt auftreten, nur weil die Kostümbildnerin eine Externe ist?"

Der Produktionsleiter verbittet sich diesen Ton.

Er weist Alix darauf hin, dass die Verträge für die Schauspieler noch nicht raus sind. So gesehen gebe es keine Schauspieler, und es brauche demzufolge auch keine Kostüme.
"Aber es gibt Absprachen!"
Alix ist fassungslos.
"Eigentlich müssten Sie das verstehen, Frau Hering. Ohne Unterschrift kann ich keine Gelder freigeben."
Alix zählt innerlich rückwärts von zehn bis null. Dann hat sie sich wieder im Griff.
"Herr Wittig, wir wissen beide, dass Dr. Bonhoff erst nach Drehbeginn zurückerwartet wird. Wenn Sie jetzt die Vorbereitungen stoppen, dann platzt der gesamte Dreh."
Der Produktionsleiter tritt vorsichtig den Rückzug an.
"Ich sage nur, wie es ist. Wenn Ihnen das nicht gefällt, dann müssen Sie eine Etage höher gehen und sich an den Hauptabteilungsleiter wenden. Mir ist es egal, von wem ich die Unterschrift bekomme. Aber eine Unterschrift brauche ich."
Eine Etage höher stößt Alix zunächst auf Widerstand. Der Terminplan des Hauptabteilungsleiters weist in den nächsten zwei Wochen keinerlei Lücke auf. Erst als sie der Sekretärin mit all ihrem Charme die Dringlichkeit ihres Anliegens verdeutlicht, hat sie einen Teilerfolg. Frau Mauenstein will sehen, was sie tun kann.

Zeit, sich um die andere Kalamität zu kümmern. Alix muss entscheiden, ob sie den Beschluss des Amtsgerichtes anfechten will oder nicht. Dazu sieht sie sich das Ganze noch einmal an und stellt fest, dass ihr die Handschrift, in der das Testament verfasst wurde, unbekannt ist.
Anscheinend hat Eric das geschrieben. Von Tante Axel stammt nur ein Zusatz auf der zweiten Seite. *Ebenso Silber und Schmuck* hat sie an den Rand gekritzelt. Die Schrift ist zittrig. Sie muss es nach ihrem Schlaganfall geschrieben haben. Und dann entdeckt Alix noch eine Merkwürdigkeit: Tante Axel hat erst am 22. Juli 1972 unterschrieben, Eric schon am 31. Mai, fast zwei Monate vor ihr. Sonderbar. Ein Testament mit unterschiedlichen Daten, noch dazu nur in Kopie. Und dieser Wisch soll jetzt mehr wert sein als das notarielle Testament? Sie macht einen Termin mit der Anwältin aus.

Auch Frau Schneider findet es auf den ersten Blick eigenartig, dass ein Testament, das nur in Kopie aufgefunden wurde, gültig sein solle. Sie muss sich das genauer ansehen.
Während sie sich in die Papiere vertieft, betrachtet Alix die Aktenordner der Anwältin. Sie sind anonym beschriftet, nur mit Buchstaben und Nummern, sehr gleichmäßig, schwarz auf gelben Etiketten.

Alix versucht seit Jahren, für sich selber ein gutes Ordnungssystem zu etablieren. Der Ansatz, verschiedene Themen nach Farben zu sortieren, ließ sich nicht durchhalten. Einmal überschnitten sich die Themen, ein andermal waren ihr die passenden Farbetiketten ausgegangen.

"Mit gemeinschaftlichen Testamenten ist das so eine Sache", unterbricht die Anwältin ihre Überlegungen. "Sie können nicht einseitig aufgehoben oder modifiziert werden, sondern nur gemeinschaftlich."

"Aber mein Onkel ist nicht mehr geschäftsfähig."

"Das, ehm, macht es leider nicht besser."

Die Anwältin sieht gequält aus.

"Wenn einer der beiden Unterzeichner geschäftsunfähig wird, gilt das gemeinschaftliche Testament sogar unwiderruflich."

"Aber das ist doch absurd! Meine Tante hat seit Jahren alles für ihren Mann geregelt."

"Das tut nichts zur Sache." Frau Schneider blättert suchend im BGB. "Zum Zeitpunkt des Todes Ihrer Tante war der Onkel noch nicht entmündigt, oder?"

"Ich glaube, nein. Einen offiziellen Vormund gibt es jedenfalls erst, seit Frau Talheim dazu ernannt wurde."

"Ja, so habe ich es auch in Erinnerung. Aber wie auch immer, das hätte sowieso nichts geändert."

Die Anwältin hat den gesuchten Passus gefunden, tippt auf das Buch und liest zum Beweis eine Passage vor.

Kein Vormund oder Pfleger des nicht Geschäftsfähigen ist befugt, am gemeinschaftlichen Testament etwas zu ändern.

Sie klappt das Buch zu und legt es akkurat an die Stelle, wo es zuvor gelegen hat.
"Verstehe ich das recht, wenn ein Ehepartner gaga wird, dann kann der Gesunde das Testament nicht mehr ändern, obwohl das unter den neuen Umständen ja gerade sinnvoll wäre?"
Die Anwältin nickt.
"Das ist das Risiko der Unabänderlichkeit bei gemeinschaftlichen Testamenten. Deswegen raten wir unseren Mandanten im Allgemeinen auch davon ab."
"Das macht doch gar keinen Sinn", murmelt Alix hilflos, "Eric kann mit Aktien und Immobilien überhaupt nicht mehr umgehen."
"Dafür hat er seinen Vormund. Das Gesetz schützt in diesem Fall den Erkrankten."
"Aber Frau Talheim hat doch von Geschäften keinen blassen Schimmer!"
"Ich kann die Gesetze leider nicht ändern. Das gemeinschaftliche Testament hätte vernichtet werden müssen, solange Ihr Onkel noch geschäftsfähig war."
"Vielleicht ist ja genau das passiert. Das Ding ist doch nur eine Kopie!"
"Leider hat das Amtsgericht diese Kopie für gültig

erklärt" sagt Anwältin.
Alix starrt vor sich hin. Die Anwältin betrachtet sie.
"Sie haben recht, da ist eine Schwachstelle."
Alix schöpft Hoffnung.
"Vielleicht haben sie das Testament verbrannt, aber Eric hat vorher heimlich eine Kopie gemacht."
"Es dürfte schwer fallen, das zu beweisen", konstatiert die Anwältin nüchtern.
"Aber das Testament entspricht überhaupt nicht dem, was meine Tante wollte! Sonst wäre sie ja nicht extra zum Notar gegangen!"
"Ihre Tante hat offenbar geglaubt, es ginge so."
"Und wieso hat der Notar ihr nicht gesagt, dass es so *nicht* geht?"
"Vielleicht hat er nichts von dem gemeinschaftlichen Testament gewusst."
"Aber er hätte meine Tante doch danach fragen müssen!"
Die Anwältin wiegt bedächtig ihren Kopf.
"Nicht müssen, können. - Aber dieser Notar hat auch übersehen, dass Ihre Tante Ihnen das Haus im Westerwald nicht einfach vermachen konnte, da es sich zu fünfzig Prozent im Besitz ihres Ehemannes befand. Sie erinnern sich? Wir haben das im Dezember nicht weiter verfolgt, weil es keine Rolle mehr gespielt hätte, wenn die Vereinbarung durchgekommen wäre."
Alix nickt. Die Anwältin fährt mit ihrer Belehrung fort.

"Ein Testament wird auf Treu und Glauben verfasst. Der Notar ist nicht verpflichtet, im Grundbuch nachzusehen, ob die vererbten Immobilien den Erblassern auch gehören."
Vorm Fenster bewegt der Wind kahles Geäst und malt verwischte Schatten auf die gegenüberliegende Hauswand.
"Wenn Sie mich fragen, macht es wenig Sinn, Einspruch einzulegen. Die Tatsache, dass das gemeinschaftliche Testament nur in Kopie vorhanden ist, lässt einen gewissen Spielraum offen, aber ein Einspruch würde ziemlich teuer."
"Wie teuer?"
"Das kann ich Ihnen nicht genau sagen. Die Gebühren richten sich nach dem Wert des Gesamterbes. Die Frage ist, würde Ihr Vetter da mitziehen? Auch er ist ja nach der neuen Lage nur Nacherbe."
"Ja, das wollte ich auch noch fragen, was heißt das eigentlich?"
Die Anwältin erlaubt sich ein Lächeln.
"Ihr Onkel ist Vorerbe. Als solcher erbt er zunächst alles ganz allein. Die im Testament vorgesehene Aufteilung zwischen Ihrem Vetter und Ihnen tritt erst nach seinem Tod in Kraft. Deswegen könnte auch Ihr Vetter ein Interesse daran haben, das Testament anzufechten. Er würde dann früher erben."
Alix lehnt sich zurück und atmet vernehmlich aus.

"Ich glaube nicht, dass ihn das interessiert. Zuletzt wollte er sowieso alles direkt an seine Kinder weitergeben."
"In dem Fall müssten Sie die Gebühren alleine tragen."
"Eine ungefähre Größenordnung?"
Frau Schneider hebt beide Hände ins Ungewisse.
"Meine Tabellen hören bei 3,2 Millionen auf."
Sie erhebt sich und reicht Alix die Hand.
"Wenn Sie noch Fragen haben, jederzeit."

Das Büro der Anwältin befindet sich in Kalk, auf der billigen Seite von Köln, der *schäl Sick*. Alix biegt vor der Rheinbrücke ab, parkt und geht über die Wiesen, um ihren Kopf zu lüften. Nur ein paar Hundebesitzer verteilen sich auf der weiten Fläche, sonst ist es menschenleer. Alix schlendert am Ufer entlang. Über den breiten Strom hinweg schaut sie auf die Altstadtsilhouette mit Dom. Kiesel knirschen unter ihren Sohlen. Sie sammelt flache Steine und lässt sie über das Wasser titschen. Der erste Stein hopst zweimal. Der nächste versinkt sofort. Sie versucht es wieder und wieder. Endlich berührt einer die Wasserfläche sechs Mal, bevor er in den Fluten verschwindet. Bei diesem persönlichen Rekord belässt sie es, setzt sich auf den Boden und betrachtet einen Lastkahn, der sich flussaufwärts quält. Mühsam schiebt er eine Bugwelle vor sich her. Ein Ast dagegen, der flussabwärts treibt, flitzt nur so dahin. Gegen den

Strom zu schwimmen kostet Kraft. Man sollte sich überlegen, wann es sich lohnt.
Bei der Erbschaft wohl nicht.
Und bei Sokrates?
Graues Wasser, grauer Himmel. Alix schuddert.
Muss Didi ausgerechnet jetzt in Berlin sein?
Auf dem Weg zum Auto beschließt sie, mit dem Ausstatter zu reden.

Unterstützung

Die Werkstätten des WDR befinden sich am anderen Ende der Stadt, in Bocklemünd. An der Pforte muss Alix warten, bis sie abgeholt wird. Sie ermahnt sich, Claudio Schedler nicht gleich mit dem Thema der blockierten Gelder zu überfallen, sondern erst einmal zu gucken, wie weit die Vorbereitungen gediehen sind.
Es geht durch ein Labyrinth von Gängen. Die Gerüche nach Holz, Farben, Terpentin und Klebstoff erinnern Alix an ihre Theaterzeit. Der Ausstatter öffnet die Tür zum Malersaal und weist auf den riesigen Prospekt für

eine neue Show. "Wenn der trocken ist, kommt unser Bühnenbild dahin."
Die Entwürfe dazu befinden sich in einem Nebenraum in einem Gestell. Der Szenenbildner zieht eine bemalte Leinwand heraus und lehnt sie gegen die Wand. "Nummer eins", sagt er und platziert eine zweite Leinwand daneben: "Entwurf Nummer zwei."
Er tritt einen Schritt zurück und sieht Alix erwartungsvoll an. Beide Flächen sind voll mit gemalten Köpfen.
"Wow!" Alix ist beeindruckt.
"Das ist natürlich nur ein Ausschnitt, auf dem fertigen Prospekt werden es sehr viel mehr Köpfe sein."
"Sokrates umzingelt von seinen 500 Richtern, toll."
"Genau. – Und welche Version gefällt Ihnen besser? Die realistische oder die abstrahierte?"
"Schwer zu sagen. Auf Anhieb gefallen mir beide. Aber je länger ich hinsehe... Die ausdruckslosen Gesichter wirken irgendwie noch bedrohlicher, so halb tot. Man spürt den Schädel unter der Haut."
Claudio Schedler nickt zufrieden. Diese Variante gefällt ihm selbst auch besser. Dann schleift er eine dünne, spiegelnde Platte zwischen den Materialständern heraus. Alix sieht darin ihr verzerrtes Spiegelbild.
"Gegen Schluss des Monologs könnten wir solche Spiegelwände auf die Bühne schieben."
"So wird das Publikum zum Richter von Sokrates. Genial!"

Der Ausstatter freut sich, dass sein Einfall so gut ankommt, weist aber darauf hin, dass eine lautlose Schiebevorrichtung zu teuer wäre, schließlich seien sie nicht beim großen Fernsehspiel.
Alix sieht darin kein Problem. Sie kann das Bewegen der Spiegel über Schnitte kaschieren.
"Aber wo Sie gerade das Thema Finanzen ansprechen..."
"Ja ich weiß, die Kostümbildnerin hat mich angerufen. Das ist unglaublich! - Lust auf einen Kaffee? Dank meiner italienischen Mutter habe ich im Büro eine Espressomaschine."
Claudio serviert Alix nicht nur einen Latte macchiato, er beruhigt sie auch. Er kann sich nicht vorstellen, dass alles gestoppt wird. Dazu sind die Arbeiten zu weit fortgeschritten. Die Schreinerei hat die Bühne schon so gut wie fertig. Er glaubt nicht, dass alle bisher entstandenen Kosten einfach abgeschrieben werden können, und bietet Alix an, sie zum Termin beim Hauptabteilungsleiter zu begleiten. Mit dem könne er ganz gut.
Sie sind Verbündete, sitzen in einem Boot. Die Verabschiedung fällt herzlich aus. Alix fährt gestärkt nach Hause.

Auf dem Anrufbeantworter gibt es drei Nachrichten.
Die Sekretärin von Dr. Oppenländer hat einen Termin für Alix.

Die Cutterin hat das Material gesichtet und erwartet Alix am nächsten Morgen. Didi berichtet von den Berliner Filmfestspielen. Er habe schon fünf Filme und zwei Empfänge hinter sich. Unzählige Grüße solle er ausrichten. Es folgen fünf Schmatzer. Auch Alix spitzt den Mund zu einem Luftkuss und schickt ihn ins Universum. Dann wählt sie die Nummer ihres Vaters.
Er freut sich, dass sie Zeit für ihn hat und lädt sie ins *Kapellchen* ein.
Das *Kapellchen* ist keine Kapelle, sondern ein Gewölbekeller, in dem die Tische mit schmiedeeisernen Gittern und Weinlaub aus Plastik voneinander getrennt sind. Alix´ Geschmack ist das nicht, aber es ist nun mal das Stammlokal ihres Vaters.
Nachdem sie bestellt haben, erzählt sie vom Besuch bei der Anwältin. Er hört aufmerksam zu. Dann nimmt er bedächtig einen Schluck Wein und rollt ihn auf der Zunge hin und her.
"Man muss wissen, wann man verloren hat."
Er tätschelt Alix´ Hand mit verstohlener Zärtlichkeit.
"Weg mit Schaden. - Ahhh! Da kommt unser Essen."
Er lächelt die Bedienung an.
Alix merkt mit einem Mal, dass sie das Mittagessen überschlagen hat, und freut sich auf die solide Hausmannskost.
Der Vater steckt sich eine Serviette vor die Krawatte. Sie lassen es sich schmecken.

"Keine Geschmackszusätze und keine Dudelmusik", lobt Alix das Lokal.
"Vor allem wissen sie, dass ich keine Paprika im Salat dulde."
Alix lächelt. Früher hat sie sich geschämt, wenn der Vater ein Essen zurückgehen ließ, nur weil es mit Paprika verziert war. Jetzt sieht sie zu, wie er mit Sorgfalt ein Kartöffelchen in die Sauce knietscht und das Gemisch genüsslich zum Munde führt. Heute findet sie die Marotten ihres Vaters liebenswert.
Auch er ist milde gestimmt und versucht, sie zu trösten.
"Mach dir nichts draus. Anwälte und Gerichte fressen nur Geld und Lebenszeit. Das ist es nicht wert."
"Glaubst du, dass Carl dahintersteckt? Ich meine, irgendwer muss das Testament ja ans Amtsgericht geschickt haben."
"Möglich. - Unterm Strich gewinnt er."
"Aber erst mal kriegt er gar nichts, genau wie ich."
"Offenbar hat er es nicht nötig."
"Seine Mutter ist ja auch gestorben. Da erbt er nochmal."
"Der Teufel scheißt immer auf den dicksten Haufen."
Der Vater sammelt mit seinem letzten Stück Fleisch die Saucenreste auf.
"Warum sind wir eigentlich nicht zu Wilmas Beerdigung gefahren?", fragt er und schiebt den blankgeputzten Teller von sich.

"Weil du nicht wolltest. Du hast gesagt, dass du Beerdigungen hasst."
"Tu ich auch. Aber wenn du gefahren wärst, dann wäre ich mitgekommen."
"Ich hatte viel zu tun."
"Das hast du immer."
Der Vorwurf ist unüberhörbar.
"Außerdem wusste ich nicht, wie ich Carl begegnen sollte nach dem ganzen Hickhack", verteidigt sich Alix. "Wenigstens haben wir einen Kranz geschickt."
Jetzt oder nie, denkt Alix und stellt ihrem Vater eine Frage, die ihr schon lange auf der Seele brennt.
"Sag mal, was ist eigentlich zwischen Dir und Tante Axel vorgefallen?"
"Zwischen Alexandra und mir?"
Der Vater legt bedächtig die Serviette zusammen.
"Nichts. Mit dem Alten bin ich aneinandergeraten."
"Und wieso?"
Der Vater holt etwas weiter aus.
"Ich hatte schon meinen eigenen Betrieb, als ich mich mit deiner Mutter verlobte. Ich stand also durchaus auf eigenen Füßen..." Er schnippt eine Brotkrume von der Tischdecke und atmet tief durch. "Also, eigentlich war es mein Betrieb, meine Erfindung. Aber ich hatte kein eigenes Geld. Das Geld kam von meinem Kompagnon. Und mit dem war es schwierig."

So weit ist das nichts Neues für Alix. Sie wartet auf die Fortsetzung.
"Er war ein Dreckskerl. Ich hätte mich gern von ihm getrennt. Und Fotografie hat mich schon immer interessiert. Dein Großvater war damals ja schon alt, er brauchte also einen Nachfolger in der Firma. Eine gute Lösung für alle, dachte ich. "
"Und Alexandra?" fragt Alix vorsichtig.
"Die hatte damals noch keinen Mann."
Aber sie war doch selber in der Firma! Alix schluckt ihren Einwand im letzten Moment herunter. Wenn der Vater schon einmal redet, dann muss sie ihn ausreden lassen.
"Der Alte ließ mich in dem Glauben, dass ich ihm willkommen sei. Ich hatte schon Schritte unternommen, meinen Anteil an der Firma zu verkaufen, da ließ er die Katze aus dem Sack. Ich könne bei ihm anfangen, aber ganz von unten. – Ganz von unten! Das kam natürlich überhaupt nicht in Frage!"
Der Vater schnaubt verächtlich.
"Aber was soll´s. Wir machen unseren Weg auch ohne das Geld der Paschers, was, Alix?"
Er zwickt sie aufmunternd in die Backe.
"Au", protestiert sie.
"Noch einen Wein?"
"Lieber Kaffee. Ich muss ja noch fahren."

Er bestellt und sieht der Bedienung wohlgefällig nach. Sie hat etwas rührend Schmales. Sie ähnelt frühen Bildern von Alix Mutter.
"Betty sollte zu ihrer Großjährigkeit fünfundzwanzig Prozent der Geschäftsanteile bekommen", sagt der Vater nun. "Genau wie ihre ältere Schwester. Aber als es dann so weit war, wollte der Alte nichts mehr davon wissen. Nichts als Unfrieden hat er gestiftet."
Er pult mit dem Zahnstocher einen störenden Rest zwischen seinen Zähnen heraus.
"Seien wir froh, dass wir nicht angewiesen sind auf die Mischpoke", meint er abschließend. Alix wundert sich nicht zum ersten Mal darüber, wie unbefangen der Vater jüdische Ausdrücke gebraucht. Sie überlegt noch, ob, und wenn ja, wie sie ihn darauf ansprechen kann, als er sie nach ihrer Griechenlandreise fragt.
"Jetzt erzähl doch mal von Delphi. - Gnóthi Seautón - erkenne dich selbst" rezitiert er. "Und? Wie heißt der andere Spruch?" fragt er seine Tochter ab.
"Nichts allzu sehr."
"Brav brav. Nichts im Übermaß, medén ágan. Ein Jammer, dass heute niemand mehr Griechisch lernt. Hat mir sehr geholfen im Krieg."
"Wieso?" Alix ist verblüfft.
"Ich war in Saloniki stationiert."
"Was hast du denn da gemacht?"

"Was soll ich da gemacht haben? - Schreckliche Zeit."
Sein Tonfall verbietet jede weitere Nachfrage.
Er steckt die Rechnung ein und erhebt sich.
"Soll ich dich noch zu Hause vorbeifahren?"
"Danke. Die paar Schritte geh ich zu Fuß. Frische Luft hat noch nie geschadet."

Sponti - Einfälle

Die Cutterin hat das Material nicht nur angelegt, sondern die Filmrollen auch schon in eine grobe Reihenfolge gebracht. Nicht alles jedoch konnte sie dem Drehbuch zuordnen. Sie hält einen Filmstreifen gegen das Licht.
"Dieser Steinbruch zum Beispiel..."
"Das ist am Parnass, der Berg von Apoll. Früher wohnten dort die Musen, heute wird da Bauxit abgebaut."
"Ah ja." Die Cutterin kann mit der Auskunft wenig anfangen. "Und wo soll das hin?"
"Weiß ich noch nicht genau. Aus Bauxit baut man Flugzeuge", erklärt Alix.
"Flugzeuge." Die Cutterin ist ratlos. "Also, als ich diesen ruinierten Berg gesehen habe, hat mich das an

die These erinnert, dass die Industriegesellschaft mit Sokrates begonnen hat."
"Okeey." Dem gedehnten Ton der Cutterin ist anzuhören, dass sie diese These bezweifelt. "Soll ich das dann zu den Klammerteilen von Brokdorf tun?"
"Gute Idee. - Obwohl, zum Schluss würde es vielleicht auch passen, zu dem Dialog vor Bayer Leverkusen."
Doch die Cutterin ist schon bei der nächsten Rolle.
"Und der Schuster in Athen, wo soll der hin?"
"Tja", sagt Alix zögernd, "das war auch so ein Sponti-Einfall. - Ich weiß noch nicht."
"Hat mir aber gefallen", sagt die Cutterin und legt eine zusätzliche Schachtel an, mit dem Titel *Extras*.

Zum Termin beim Hauptabteilungsleiter kommt Claudio Schedler mit. Er unterstützt Alix, indem er vom fortgeschrittenen Stand der Arbeiten zum Bühnenbild berichtet. Alix selber weist darauf hin, dass die Schauspieler bei ihr anrufen, weil sie noch keine Verträge bekommen haben. Es bestehe die Gefahr, dass sie abspringen. Dabei verschweigt sie, dass ihr Hauptdarsteller ohnehin abgesprungen ist, wenn auch aus anderen Gründen.
Dr. Oppenländer versteht die Brisanz der Situation. Doch er scheut davor zurück, Gelder über den Kopf seines Redakteurs hinweg freizugeben.

"Aber das Drehbuch ist doch abgenommen," meint Alix.
"Schon, aber die Kalkulation war noch nicht fertig."
"Es war doch klar, dass Spielfilm mehr kostet als..."
"Ich bezweifle, dass Dr. Bonhoff seinen ganzen Jahresetat in dieses Projekt stecken wollte."
Alix fallen keine Argumente mehr ein. Schweigen breitet sich aus.
"Bitte geben Sie mir eine Woche Zeit", beschließt der Hauptabteilungsleiter die Audienz. "Wir werden versuchen, Dr. Bonhoff in der Südsee zu erreichen."

Als Didi zurück ist, erzählt Alix ihm von der Hängepartie in Sachen Drehvorbereitung. Didi beruhigt sie. Er hält den Aufschub für eine reine Formalität. Alix bezweifelt das.
"Was sagt denn dein Ausstatter?"
"Er arbeitet weiter."
"Na siehst du."
Alix schrubbt an der Pfanne herum.
"Und wenn es am Ende so kommt wie mit der Erbschaft?"
"Wie meinst du das?"
"Außer Spesen nichts gewesen."
Didi lacht.
"Mein armes, armes Aschenputtel!"
"Dein Mitgefühl ist überwältigend."

Alix hievt die Eisenpfanne auf das Trockengestell.
"Warte nur, die Rettung naht, der Prinz ist schon unterwegs."
Didi trampelt auf der Stelle und wiehert wie ein Pferd. Alix verkneift sich ein Grinsen und widmet sich konzentriert dem Kartoffeltopf. Erst als es still wird, dreht sie sich um. Didi kniet auf dem Küchenboden und streckt ihr den Arm entgegen.
"Reich mir die Hand, mein Leben."
"Lass den Quatsch."
Sie dreht sich wieder zur Spüle. Didi steht auf, lehnt sich gegen den Kühlschrank und betrachtet sie.
"Als reiche Erbin hätte ich dich ja nicht fragen können, ohne in Verdacht zu geraten."
Alix lässt den Topf zurück ins Spülwasser gleiten und dreht sich langsam zu ihm um.
"Soll das etwa ein Heiratsantrag sein?"
Er zuckt bejahend mit den Schultern.
"Echt jetzt?"
Alix zupft an ihren türkisfarbenen Gummihandschuhen, die ihr völlig unpassend vorkommen für diesen feierlichen Moment. Doch da wird sie schon von Didi in die Arme genommen. Anfangs streckt sie noch die tropfenden Handschuhe zur Seite. Doch so kleinliche Vorsichtsmaßnahmen verlieren rasch an Bedeutung.

Später sitzen sie im Wohnzimmer.

"Meinst du wirklich, wir sollten heiraten?", fragt sie.
"Warum nicht? Alix Birkmann hört sich besser an als Alix Hering."
"Schon. Aber leider ist das kein Argument."
"Wieso nicht?"
"Weil ich meinen Namen behalten muss."
"Warum das denn?"
"Ich bin zwar noch nicht sehr bekannt, aber das kleine bisschen will ich nicht aufs Spiel setzen."
"Hm", Didi kratzt sich provokativ am Kopf. "Wenn das so ist, dann gibt es leider keinen Grund mehr zu heiraten. – Schade eigentlich."
"Obwohl, ich wüsste da schon noch den einen oder anderen Grund." Alix gibt ihrer Stimme einen erotisch gefärbten Unterton, auf den er sofort eingeht.
"Sooo? Und was genau hast du da im Sinn?"
"Nicht, was du meinst!"
"Nicht?"
"Dafür brauchen wir doch nicht zu heiraten."
"Stimmt auch wieder. Und wofür dann?"
"Dafür, dass mich die Leute endlich nicht mehr mit Fräulein anreden."
Er lacht.
"Dein Pragmatismus ist unschlagbar."
"Ich liebe dich."
Sie krabbelt auf seinen Schoß und lässt sich in seine Nähe fallen wie in ein warmes Bad.

Nach außen hin bemühen beide eine ironische Distanz. Um der bevorstehenden Hochzeit den bürgerlichen Beigeschmack zu nehmen, heben sie den bürokratischen Akt im Rathaus hervor und nennen das Ganze *Stempelfest.*

Gleichwohl erwischt Alix sich immer mal wieder bei einem verträumten Lächeln. Sie gesteht sich ein, dass ihre Liebe - Zeitgeist hin oder her - durch die Absicht, sie offiziell zu machen, eine neue Dimension erfährt. Sie wird von einem euphorischen Grundgefühl durch die nächsten Wochen getragen.

Köln und die weite Welt

Unter diesen Umständen fällt es Alix leicht, zuversichtlich mit der ungeklärten Arbeitssituation umzugehen. Sie hält die schon gecasteten Darsteller bei Laune, sucht eine neue Besetzung für den Sokrates und bereitet im Schneideraum die Einspieler vor.
Im Büro des Hauptabteilungsleiters versucht man unterdessen, den Redakteur in der Südsee zu erreichen. Das ist keine einfache Aufgabe. Überseetelefonate sind im Jahr 1980 zwar möglich, aber teuer und umständlich. Zudem ist Dr. Bonhoff keiner, der es darauf anlegt, erreichbar zu sein. Seine Spur kann bis zu einem Hafenhotel verfolgt werden. Danach verliert sie sich. Klar ist nur, dass es per Schiff weitergehen sollte. Doch am Abfahrtstag fuhren drei Schiffe zu drei unterschiedlichen Inseln, und es ist nicht herauszubekommen, welches der drei Schiffe der Redakteur genommen hat.

Alix wird ein zweites Mal ins Büro des Hauptabteilungsleiters geladen. Nach der Begrüßung meint Dr. Oppenländer, es sei ihm überaus unangenehm, Dr. Bonhoff bei seiner Rückkehr mit der Nachricht überraschen zu müssen, dass sein Jahresetat bereits im April ausgeschöpft sei.

Nach diesem Eingangsstatement tritt eine Pause ein. Niemand will über die Gründe reden, die zu der Kalamität geführt haben. Alix steht es nicht zu, und der Hauptabteilungsleiter will Dr. Bonhoff nicht bloßstellen. Bisher gab es keine Spielfilmanteile im Dritten Programm. Sie sind ein Novum. Prinzipiell weiß der abwesende Redakteur natürlich, dass es teurer ist, Wirklichkeit künstlich herzustellen, als sie dokumentarisch abzufilmen. Aber mit den konkreten Zahlen von Spielfilmproduktionen hat er sich nie zuvor beschäftigen müssen.

"Nun ja", sagt Dr. Oppenländer nach einer angemessenen Pause, "das Drehbuch ist schließlich abgenommen."

Er zückt seinen mit Namen gravierten Füller, setzt schwungvoll eine Unterschrift unter die Kalkulation und reicht sie Alix über den Tisch.

"Hoffen wir, dass Ihr Film so gut wird, dass wir ihn ins Erste Programm übernehmen können. Dann fließen die Gelder vom Ersten wieder zurück ins Dritte. Damit wären wir aus dem Schneider. Also, Ich verlasse mich auf Sie. Machen Sie einen guten Film, Fräulein Hering."

Alix ist so erleichtert, dass sie das verhasste *Fräulein* locker ignoriert.

Die verbleibende Zeit ist randvoll mit Besprechungen, Besichtigungen, Proben und letzten Drehbuchkorrekturen.

Am Samstag vor Drehbeginn ist so gut wie alles geschafft. Zeit für eine Atempause. Leider ist Didi nicht ansprechbar. Gegen ein Spiel von Hertha BSC hat Alix keine Chance. Natürlich könnte sie sich dazugesellen, aber sie findet es nicht spannend, neunzig Minuten lang auf zweiundzwanzig hin und her wetzende Männlein zu starren. Außerdem ist Nele zurück. So nutzt sie die Zeit, ihre Freundin zu treffen.
Sie haben sich im *Kwartier Lateng* verabredet, im *Veedel* hinter der Uni.
Im ersten Moment hat Alix Mühe, Nele wiederzuerkennen. Ihre Haare sind erblondet, so hell, dass sie beinahe weiß sind. Und der Kurzhaarschnitt ist schulterlangen Locken gewichen.
Nach der ersten überschwänglichen Umarmung mustern sich die Freundinnen. Nele trägt eine rosa Strickjacke über rotem T-Shirt zu orangefarbenem Rock.
"Du siehst ziemlich verändert aus", meint Alix.
"Kann ich von dir nicht sagen. Du siehst aus wie immer."
"Oh! sagte Herr K. und erbleichte."
Nele grinst.

"Recht hat er der gute alte Brecht. Wenn man sich nicht mehr verändert, wird man alt."
Sie hält ihre braungebrannte Hand neben die von Alix.
"Du bist ganz schön bleich."
"Was erwartest du vom Kölner Winter?"
"Nichts. Absolut gar nichts. Deswegen bin ich ja abgehauen."
"Mutig von dir."
"Damals hast du gesagt, ich bin bekloppt!"
Alix denkt daran, dass sie Nele abgeraten hat, ihren prekären Status als freiberufliche Hörfunksprecherin durch längere Abwesenheit aufs Spiel zu setzen.
"Und, hast du dich schon zurückgemeldet im Sender?"
"Nee, noch nicht." Nele klingt unbekümmert.
"Man wird ja schon gern vergessen, wenn man sich eine Weile nicht blicken lässt", meint Alix besorgt.
"Siehst du, genau deswegen musste ich weg."
Nele fährt sich mit beiden Händen durch die Haare.
"Hier sitzen alle im Überfluss und können vor lauter Sorgen nicht mehr geradeaus denken. In Indien haben sie nichts! Aber sie machen aus drei trockenen Blättern ein Feuerchen am Straßenrand und feiern das Leben!"
Alix fühlt sich beschämt. Sie hatte sich darauf gefreut, der Freundin von ihrer Erbschaft beziehungsweise Nicht-Erbschaft zu erzählen. Das geht jetzt irgendwie nicht mehr.

Angesichts der Armut der Welt hat sie keinen Grund sich zu beklagen. Doch Nele ist ohnehin nicht an dem interessiert, was in ihrer Abwesenheit geschah. Sie ist besessen von ihren eigenen Erfahrungen, redet wie ein Wasserfall und schwärmt in einem fort von Indien.
"Dieser Sinn für Schönheit ist unglaublich. Mitten im Dreck werden langweilige Kartoffeln zu kunstvollen Pyramiden aufgeschichtet. Indien ist wirklich das Land der Spiritualität. Die ist überall, mitten im Alltag. Allein wie die Frauen gehen! Und überall Blumenketten, Gewürzkegel, und diese Farben!"
Neles Begeisterung drückt sich in großen Gesten aus. Immer wieder fallen ihr die Haare ins Gesicht, und immer wieder streicht sie die Locken hinter die Ohren. Alix überlegt, wie sie Neles Redefluss unterbrechen kann.
"Und was ist mit Piet, hast du den schon getroffen?"
Nele lacht auf. So laut, dass sich einige Leute zu ihnen umdrehen. Nele schaut herausfordernd zurück, bis sich die Blicke wieder abwenden.
"Wer ist Piet?" sagt sie dann und blickt Alix trotzig in die Augen.
"OK", meint Alix und denkt daran, dass das ewige Fremdgehen von Piet einer der Gründe für Neles Abreise war.
"Ja, ich hab Piet getroffen."
"Und?"

Nele zuckt mit den Schultern.
"War nett."
"Nett?"
"Er hat mir von seiner neuesten Affäre erzählt, und es ging mir vollkommen am Arsch vorbei."
Nele streckt ihre Arme aus und verschränkt sie hinter dem Kopf.
"Ich sage dir, Poona ist fantastisch. Die totale Freiheit, du löst dich aus allen alten Fixierungen."
Alix betrachtet die fremd gewordene Freundin.
"Bist du jetzt erleuchtet?"
"Ne, aber gut durchgebumst."
Wieder bricht sie in ein so lautes Lachen aus, dass sie Blicke auf sich zieht.
"Spießer!" Nele zieht eine Grimasse. Aber dann dimmt sie ihre Stimme. "So viele schöne Männer auf einem Haufen, das kannst du dir nicht vorstellen. Von Brasilien über Israel bis Japan. Nicht nur schön, auch intelligent und spannend. Und alle auf der Suche."
"Auf der Suche nach Frauen?"
"Quatsch. Auf der Suche nach Sinn! Nach dem Eigentlichen. Nach Tiefe."
Nele glüht. Alix betrachtet ihre Freundin nachdenklich.
"Habt ihr mit Drogen experimentiert?"
"Wenn du meditierst, brauchst du keine Drogen. Da kommst du auch so in andere Zustände, nur ehrlicher."
Alix denkt, dass Nele schon immer leicht entflammbar

war, ein Strohfeuertyp. Sie seufzt und fragt sich, wie sie in zwei Wochen reden wird, wenn sie wieder in der Kölner Realität angekommen ist. Laut sagt sie: "Ich sollte nicht zu spät nach Hause kommen. Montag fang ich an zu drehen, da muss ich ein bisschen vorschlafen."

Dreh

Der Dreh ist gut angelaufen. Das Team hat sich aufeinander eingespielt, die allgemeine Stimmung ist gut. Deshalb wundert es Didi, dass Alix an diesem Morgen nervös hin und her wuselt, anstatt in Ruhe zu frühstücken. Er beschließt, es zu ignorieren, und liest Zeitung. Auf der Seite fünf findet er eine Meldung, die er für mitteilenswert hält.
"Der liberianische Präsident ist umgebracht worden, von putschenden Militärs."
"Tatsache", meint Alix desinteressiert und füllt Tee in ihre Thermoskanne.
"Ich dachte, das interessiert dich. Der Präsident von Liberia war doch ein Freund von deiner Tante."

"Au!" Alix hat sich Tee über die Hand gegossen.
"Hast Du nicht mal Urlaub gemacht mit seinen Töchtern?"
"Da war ich zwölf!"
Alix schraubt den Deckel auf, verstaut die Thermoskanne und will wieder aus der Küche rennen. Didi hält sie fest.
"Was ist denn los mit dir?"
"Nichts", behauptet Alix unwillig und reißt sich los, um ihren Parka anzuziehen. Es klingelt. Alix greift ihre Tasche.
"Mein Redakteur kommt heute aus der Südsee zurück", sagt sie im Rausgehen.
"Ach deshalb! - Good luck!"

Gedreht wird in einer ehemaligen Fabrikhalle. Vergessene Kabelrollen türmen sich in den Ecken. Funktionslos gewordene Seilzüge hängen unter der Decke. Trübes Licht fällt durch hohe kleinteilige Fenster, malt Karrees auf staubigen Zementboden.
Mitten in der Halle ist eine Theaterbühne aufgebaut, gesäumt von dem Prospekt mit gemalten Köpfen, den Athenern, die Sokrates verurteilen.
Das Team ist bereits bei der Arbeit. Die Beleuchter bauen das Grundlicht auf. Die Ausstattung montiert eine Leinwand auf der Bühne. Projizierte Nachrichtenausschnitte sollen die Rede des Sokrates in einen Bezug

zur Moderne setzen. Das Drehbuch sieht vor, dass der Darsteller des Sokrates sich gegen diese Ablenkung wehrt. Er versteht nicht, was Bilder von einem Polizeieinsatz gegen Demonstranten mit Sokrates zu tun haben sollen. So gibt er dem Regisseur die Gelegenheit, zu erläutern, worum es ihm geht.

Regisseur: Wo der Einzelne sich hinter einer Uniform versteckt, da gibt es kein Gespräch mehr. Und wo es kein Gespräch gibt, da ist die Demokratie am Ende. Da beginnt die Gewalt. Und dieser Gewalt fällt Sokrates zum Opfer.

Der Schauspieler murrt, unüberzeugt.

Regisseur: Die Demokratie ist immer in Gefahr, in eine Diktatur umzuschlagen.

Schauspieler: Wie bei Hitler?

Regisseur: Ja! Aber auch heute. Wenn Wasserwerfer eingesetzt werden, um Argumente tot zu prügeln, dann ist die Demokratie in Gefahr.

Der Darsteller des Sokrates fügt sich dem Regiekonzept.

Was sich im Drehbuch leicht hinschreibt, wirft in der Praxis Beleuchtungsprobleme auf. Die Hintergrundbilder müssen gut zu erkennen sein, aber Sokrates, der vor den Bildern auf und ab geht, eben auch. Alix überlässt es dem Kameramann, das Problem zu lösen. Sie geht durch einen Gang mit Leuchtstoffröhren zu den ehemaligen Büros der Fabrik. Dort sind Maske und Garderobe eingerichtet worden. Auch hier ist man

bereits bei der Arbeit. Die Maskenbildnerin wickelt die Haare der Darstellerin auf Lockenwickler.
"Mach sie nicht zu schön", meint Alix. "Nachher glaubt man ihr nicht, dass sie klug ist."
"Muss ja kein Gegensatz sein", widerspricht die Maskenbildnerin.
"Muss nicht. Wird aber leider von vielen so gesehen."
"Genau", pflichtet die Schauspielerin ihr bei. "Darüber haben wir auch schon geredet. Deswegen wollen wir ganz auf ungeschminkt schminken."
"Sehr gut. Dann sind wir uns einig."
Alix umreißt kurz das Tagesprogramm.
"Noch irgendwelche Fragen?"
Ja, die gibt es. Der Schauspieler, der den Sokrates darstellt, meint, sein Text sei ja durchaus keine leichte Kost. Und eben deshalb befürchte er, dass niemand mehr zuhöre, wenn im Hintergrund diese Fernsehbilder laufen.
Einen Moment lang ist Alix verunsichert. Genau das Argument kommt in der Szene vor. Probt der Schauspieler gerade seine Rolle, oder wehrt er sich als Darsteller? Sie entscheidet sich für die erste Version und strahlt den Schauspieler an.
"Großartig. Das ist genau der Ton für den Disput mit dem Regisseur, möglicherweise noch eine Spur aggressiver. Aber das sehen wir gleich vor Ort. Wenn Ihr fertig seid, können wir eine erste Stellprobe machen."

Anfangs läuft es leicht. Später wird es zäh. Zuerst gibt es einen Kurzschluss, dann hakt es bei der Projektion. Als die wieder läuft, muss der Dreh wegen lauter Flugzeuggeräusche unterbrochen werden. Bei der nächsten Klappe gerät das Mikrofon ins Bild. Und dann fliegt schon wieder eine Boeing über das Fabrikgelände. Bei der sechsten Klappe verspricht sich der Darsteller und bricht daraufhin in hysterisches Gelächter aus.
Alix eilt zu ihm. Aus dem Augenwinkel sieht sie, dass ausgerechnet jetzt der Redakteur ans Set kommt und im Hintergrund stehen bleibt. Alix beschließt, so zu tun, als hätte sie ihn nicht bemerkt. Sie spricht den Schauspielern ihr Mitgefühl für die Serie von Pannen aus und beteuert, die Probe sei wirklich gut gewesen. Also bitte unverdrossen noch einmal.
"Die wird es jetzt", sagt sie laut, an das gesamte Team gewandt.
Die siebte Klappe wird geschlagen. Der Einspieler wird abgefahren. Diesmal läuft die Technik und die Schauspieler sind so gut wie noch nie. Alix ruft euphorisch: "Danke, die war´s!"
Doch das war leider voreilig. Walter zieht sie beiseite. Der Assistent hat einen Fussel im Objektiv gefunden.
"O nein!", entfährt es Alix.
Walter zuckt mit den Schultern. Es ist, wie es ist.

"Tut mir leid", sagt Alix zu den Schauspielern "wir müssen noch mal wiederholen, ein technisches Problem." Sie seufzt.
"Ihr wart perfekt! Ich guck mir den Take auf jeden Fall an. Vielleicht kann ich ihn ja doch gebrauchen. Aber ich bin sicher, ihr kriegt das nochmal so hin. Also, ganz locker ins Volle."
Die nächste Klappe hat nicht so viel Seele, aber sie ist fehlerlos. Alix erklärt sie für *gestorben*. Das Licht wird umgebaut.
Nun hat Alix Zeit, den Redakteur zu begrüßen. Doch der hat das Set bereits wieder verlassen. Auf ein Gespräch mit Alix legt er anscheinend keinen Wert.

Fahrradausflug

Am Sonntag nach Ende des Drehs machen Didi und Alix einen Ausflug. Sie holen die Fahrräder aus dem Keller und fahren stadtauswärts. Es ist ein Frühlingstag, wie man ihn sich nicht schöner erträumen kann. Üppige Magnolien stehen in den Vorgärten und wiegen ihre Blüten vor einem blassblauen Himmel. Erste grüne Blättchen sprießen an den Hecken, leuchtende Blaukissen überziehen steinerne Mauern. Tulpen leuchten in allen Farben des Regenbogens. Das Gelb der Forsythienbüsche verglüht schon wieder und im Schatten der Stadtwaldbuchen simulieren die weißen Buschwindröschen einen auf die Erde gefallenen Sternenhimmel. Es ist eine Pracht. Alix hebt die Hände vom Lenker, breitet die Arme aus und lässt einen Juchzer hinaus in die Welt. So schön kann das Leben sein.

Sie fahren über eine Autobahnbrücke und dann zwischen Feldern entlang. Auf einem geraden, asphaltierten Weg prescht Alix vor. Es ist, als hätte sie Flügel. Didi holt auf, dann fahren sie eine Weile nebeneinander her. Schließlich geht es im großen Bogen zurück in Richtung Stadt, nach Rodenkirchen an den Rhein. Dort

sind sie mit dem Vater verabredet. Er hat sie zum Mittagessen ins *Treppchen* eingeladen.
Alix packt ihre Polaroids von den Dreharbeiten aus. Der Vater sieht sich alles ganz genau an. Am meisten beeindruckt ihn der Sokrates im langen Gewand. Er kennt den Schauspieler. Und die Fabrik, in der die ganzen Motive aufgebaut worden sind, die kennt er auch, aus der Zeit, als sie noch florierte.
"Ein Jammer", sagt er angesichts der kaputten Fensterscheiben und der verrotteten Maschinen. "Na, wenigstens war das Gebäude noch zu was gut, bevor es abgerissen wird."
Das nächste Foto irritiert ihn. Was haben Plastikmüll und Bayer-Leverkusen mit Sokrates zu tun?
"Mit Sokrates hat alles angefangen" erklärt Alix, "die ganze Industrialisierung."
"Das ist doch Unsinn!", protestiert der Vater.
Alix lacht.
"Du reagierst genauso wie der Regisseur in meinem Drehbuch. *Das ist doch Unsinn!* Das steht genauso in seinem Text."
Der Vater sieht seine Tochter skeptisch an.
"Nietzsche hat Sokrates als Wappenschild über dem Eingang der Wissenschaft bezeichnet."
"Na und?" Nietzsche ist für den Vater keine vertrauenswürdige Adresse. Er zieht die Augenbrauen hoch und befeuert damit seine Tochter.

"Ohne Sokrates keine Wissenschaft, ohne Wissenschaft keine Abspaltung der theoretischen von der ethischen Vernunft", doziert sie. "Und genau da liegt die Wurzel des Übels. Nur durch die Abspaltung der theoretischen von der ethischen Vernunft wurde die Ausbeutung der Erde möglich. Ergo: Alles hat mit Sokrates angefangen."

Der Vater sieht kopfschüttelnd zu Didi. Der zuckt mit den Schultern und grinst.

"Männer sehen das natürlich anders. Auch die Männer in meinem Film", lenkt Alix ein. "Und Sokrates selber wollte sich sowieso nie festlegen, nicht mal bei seinem Begräbnis. *Macht das ganz, wie es euch gut dünkt, falls ihr mich noch zu fassen bekommt.*"

Der Vater runzelt die Stirn. Über Begräbnisse will er an diesem schönen Frühlingstag nun wirklich nicht nachdenken. Zum Glück naht Ablenkung. Das Essen kommt. Alix zückt ein letztes Foto, vom Drehschluss. Kameramann und Bühnenbildner schwenken die Regisseurin gut gelaunt durch die Luft.

"Sehr schön", sagt der Vater nach einem flüchtigen Blick. Der duftende Spargel interessiert ihn jetzt eindeutig mehr.

Beim Nachtisch verkündet Didi, dass sie heiraten wollen. Der Vater ist gerührt. Er möchte seinen künftigen Schwiegersohn umarmen, aber der Tisch hindert ihn daran. So beugt er sich zu seiner Tochter und gibt

ihr einen Schmatz auf die Backe. Dann wedelt er mit dem Arm, bis der Kellner ihn sieht.
"Schampus!", ruft er quer durch das Lokal. "Den besten, den Sie haben!"
Er atmet tief aus und sieht seine Kinder an.
"Ist das eine Freude. Zu schade, dass Betty das nicht mehr erlebt. Also, diese wilde Ehe, wir haben ja nie etwas gesagt, aber... " Er weiß nicht weiter und räuspert sich. Da bringt der Kellner den Sekt. Nun hält es den Vater nicht mehr auf dem Stuhl. Er schiebt den Tisch beiseite und steht auf. Auch Alix und Didi erheben sich. Feierliche Momente bedürfen einer gewissen Form.
"Auf eure Zukunft!"
Sie lassen die Gläser klingen. Der Vater wirft einen verstohlenen Blick auf Alix´ Taille. Vielleicht gibt es ja einen Grund für die Hochzeit. Alix bemerkt seinen Blick und grinst.
"Keine falschen Hoffnungen Paps. Wir wollen einfach nur heiraten."
"Was nicht ist, kann ja noch werden", meint der Vater fröhlich, setzt sich wieder und will das Praktische bereden. Doch zu seiner Überraschung stellt sich heraus, dass weder Alix noch Didi bisher über Einzelheiten nachgedacht haben. Das habe alles noch Zeit, meinen sie. Da ist der Vater ganz anderer Meinung. "Wenn schon, denn schon!" meint er, und dass es doch

einiger Planung bedürfe, wenn die ganze Familie zusammenkommt.
Alix ist die Vorstellung einer Invasion von lange nicht gesehenen Onkeln, Tanten, Vettern und Cousinen ein Gräuel. Sie sieht Hilfe suchend zu Didi.
"Also, wir wollten eher nur mit unseren Freunden feiern", meint der zögerlich.
"Das könnt ihr ja außerdem machen", meint der Brautvater unbeeindruckt. "Eine Hochzeit ist nun mal ein Familienfest. Und wenn ich das ausrichte, was mir selbstverständlich eine Ehrensache ist, dann habe ja wohl noch ein Wörtchen mitzureden."
Alix ist kurz davor zu explodieren. Sie steht abrupt auf und flüchtet in Richtung Toilette.
"Was hat sie denn?"
Betroffen sieht der Vater ihr nach. "Dass sie auch immer so empfindlich sein muss", brummelt er.
Didi versucht zu vermitteln.
"Sie hat ziemlich viel gearbeitet in den letzten Wochen. Wir hatten noch gar keine Zeit, eigene Vorstellungen zu entwickeln."
Der Vater versteht nicht, wieso man bei einer Hochzeit eigene Vorstellungen entwickeln will. Es ärgert ihn, dass diese Generation meint, auch noch das Rad neu erfinden zu müssen. Aber laut sagt er das vorsichtshalber nicht. Selten hat er Betty so vermisst wie in diesem Moment.

Als Alix zurückkommt, hat sie die Haare frisch gekämmt, den Lippenstift nachgezogen und drängt betont gut gelaunt zum Aufbruch. Am nächsten Tag geht es mit der Arbeit weiter.
"Ich denke, du bist fertig?" sagt der Vater missbilligend. Insgeheim hält er die Berufstätigkeit seiner Tochter für nichts als einen Lückenfüller, bis zu ihrer eigentlichen Bestimmung, dem Muttersein. Alix ignoriert seinen Tonfall und erklärt geduldig: "Nur mit dem Dreh. Jetzt kommt der Schneideraum und die Nachbearbeitung."
Sie begleiten den Vater zum Auto und winken ihm nach, bis er um die Ecke gebogen ist. Dann fallen ihre Arme herunter und das Lächeln aus ihren Gesichtern.
"Puh!" Alix atmet tief aus.
"War vielleicht voreilig, ihn jetzt schon einzuweihen."
"Ich dachte, er freut sich", verteidigt sich Didi.
"Hat er ja auch, aber...Wieso muss er immer alles gleich festzurren?"
"Vielleicht, weil er nicht Sokrates ist."
Didi grinst sie an.
"Hör bloß auf."
Sie lässt ihren Kopf gegen seine Brust fallen. Er streichelt sie. Das weckt neue Widerspruchskräfte in Alix.
"Bilde dir bloß nicht ein, dass ich in Weiß heirate!"
"Von mir aus in lila Latzhose", meint Didi gelassen. "Dann hat die Verwandtschaft wenigstens ein Gesprächsthema."

Er schließt die Fahrräder auf.
Alix merkt plötzlich, dass ihr alle Knochen wehtun.
"Ohhhh – Kann es nicht einen Knall geben, und wir sind einfach zu Hause?"
"Soll ich dich huckepack nehmen?"
"Sehr witzig."
Sie schwingt sich müde in den Sattel.
"Zurück nehmen wir aber den kurzen Weg, am Rhein entlang, oder?"
"Kannst in meinem Windschatten fahren."
Er überholt sie. Schon bald fällt sie im Tempo zurück.
"Lass mir schon mal ein heißes Bad ein!" ruft sie ihm nach.

Hochzeit

Die Abnahme des Films durch den Redakteur verlief glatt, wenn auch äußerst unterkühlt. Bis auf ein paar kleine Änderungswünsche wurde alles akzeptiert, wenn auch nicht mit Lob bedacht. Dass Dr. Bonhoff den Film für eine Ausstrahlung im ersten Programm vorschlagen wollte, konnte als indirektes Kompliment verstanden werden. Aber vielleicht war es auch nur der Versuch, die Gelder zurückzubekommen. Die Verabschiedung erfolgte reserviert, ohne Handschlag.

Selbst bei einer geglückteren Abnahme wäre Alix normalerweise in ein Erschöpfungsloch gefallen. Doch diesmal war keine Zeit dafür. Die eine Aufregung wurde von der nächsten abgelöst: Die Hochzeitsvorbereitungen standen an. Da war zunächst die Frage der angemessenen Kleidung.
Kein weißes Hochzeitskleid, so viel war klar. Aber die lila Latzhose konnte es auch nicht sein. Was also dann? Auch Didi war unschlüssig. Er konnte sich weder für einen schwarzen Anzug noch für Jeans erwärmen.

So unternahmen sie einen Samstagsausflug in die Welt der Herrenausstatter, um sich inspirieren zu lassen. Didi alberte herum und präsentierte sich in wechselnden Outfits: als schillernder Popstar, als aalglatter Manager und als Biedermann. Sie hatten viel zu lachen. Am Ende entdeckten sie einen dunkelblauen Samtanzug, festlich und unkonventionell zugleich. Alix streichelte den weichen Hosenstoff, bis Didi eine Reaktion zeigte, und die Verkäuferin verschämt wegschaute.
Für sich selbst fand Alix eine Seidenhose. Dazu, als Zitat einer weißen Hochzeit, helle Pumps und eine cremefarbige Spitzenbluse. Was den Zwist mit den Feieransprüchen des Vaters anbetraf, so wurde er durch eine Zweiteilung der Festlichkeiten gelöst. Nach dem Standesamt sollte es ein Hochzeitsessen für die Familie geben, und abends eine Party für die Freunde.

Max und Nele waren Trauzeugen. Der bürokratische Akt auf dem Standesamt war ernüchternd unspektakulär. Aber auf der Treppe vorm Rathaus durften Caro und Nina das Brautpaar mit Rosenblättern bewerfen. Die obligatorischen Fotos wurden gemacht. Dann ging es zum fünfgängigen Menü ins Hotel Maritim.
Die zahlreich erschienene Familie bestand fast ausschließlich aus Verwandten väterlicherseits. Die Frage, ob auch Vetter Carl mit seiner Familie eingeladen werden sollte, war zwischen Vater und Tochter kurz

erörtert und im besten Einvernehmen abschlägig beschieden worden. Didi hatte außer Mutti und Tantchen nur noch eine Cousine beizusteuern. Die konnte allerdings nicht kommen, weil sie in Kiel wohnte und im achten Monat schwanger war.

Nach der Vorspeise und ersten Sättigung durch die Suppe klopfte der Brautvater an sein Glas und hielt eine launige Rede. Er erklärte sich für glücklich, diesen Tag erleben zu dürfen, und rühmte seinen Schwiegersohn, der es nicht nur seit bereits einigen Jahren mit seiner widerspenstigen Tochter aufnahm, sondern ganz offenbar auch den Mut hatte, dies weiterhin zu tun. Nach einem Blick in die Runde schlug der Vater einen Bogen zur ersten Begegnung mit dem Schwiegersohn. Turnschuhe und Revoluzzerbart seien nicht dazu angetan gewesen, ihn für sich einzunehmen. Inzwischen aber sei der Bart ab und Didi sehe ganz manierlich aus... Der Vater wartete die Lacher ab, bevor er fortfuhr.

"Allerdings muss ich an dieser Stelle zugeben, dass meine Betty, die heute leider nicht mit dabei sein kann, wieder einmal die Klügere von uns beiden war. Sie hat damals gleich gesagt: Turnschuhe hin oder her, der ist der Richtige für unsere Tochter!"

Alix war wider Erwarten gerührt und hatte mit den Tränen zu kämpfen. Sie puffte Didi in die Rippen, um sich abzureagieren, was dieser mit einem vernehmlichen *Hilfe, meine Braut schlägt mich,* quittierte. So sorgte er für allgemeines Gelächter, und bald schlugen die Wellen rheinischer Fröhlichkeit hoch. Immer wieder klangen die Gläser *in der Mitt´ zusammen.* Das Personal schenkte eifrig nach. Dem Hauptgang folgten Süßspeise und Käse. Dann gab es Likörchen für die Damen und ein *Conjäckchen* für die Herren. Der Vater ließ sich zur Feier des Tages sogar eine Zigarre bringen, eine echte, aus Kuba.

Zeit für einen Ernüchterungsspaziergang. Es ging am Rhein entlang in Richtung Dom über die Schildergasse zum Café Eigel. Dort warteten hausgemachte Torten und Pralinen auf die Familiengesellschaft. Das Brautpaar aber durfte sich verabschieden, um sich auf die Abendparty vorzubereiten.

Bei diesem zweiten Teil der Veranstaltung drängelten sich an die fünfzig Freunde um das Buffet in der Küche und tanzten im Wohnzimmer. Die Berliner und Hamburger blieben übers Wochenende. Einige kampierten auf Luftmatratzen, andere waren bei Bekannten untergebracht. Am Samstag gab es eine Bootsfahrt mit Wanderung zum Drachenfels, und am Sonntag ging das Frühstück zwanglos in ein allgemeines Reste-Essen mit Erdbeerbowle über. Bevor es an die Rückreise ging, spazierte man in den nahe gelegenen Park. Dort spielten die angeschickerten Erwachsenen zum Erstaunen der Kinder *Der Plumpsack geht um.*

Nina hielt sich an ihrer Schwester fest und steckte den Finger in ihren Mund. Caro lachte schadenfroh, als ihr Vater eine Kurve zu eng nahm, ausrutschte und hinfiel. Kurzum es war ein gelungenes Fest, das allen Beteiligten lange in Erinnerung blieb.

Die Hochzeitsreise wurde wegen der Fußballweltmeisterschaft auf den Hochsommer verschoben. Alix versuchte, sich von Didis Fußballleidenschaft anstecken zu lassen, und ließ sich zum gefühlt siebenundneunzigsten Mal erklären, was eine Abseitsfalle war. Doch nach zehn Minuten hatte sie genug vom Spiel und machte es sich lieber im Schlafzimmer mit Agatha Christie gemütlich, in Originalsprache, um ihr Englisch aufzufrischen. Den Spielstand kriegte sie sowieso mit. Denn das Torgeschrei hallte aus vielen Fenstern durch den ganzen Innenhof.

Alltag

Ansonsten ging das Alltagsleben weiter. Die Anwältin schickt ihre Endabrechnung. Die war so hoch wie das halbe Sokrates-Honorar.
Da sich Alix´ Erbschaft auf den Sankt-Nimmerleins-Tag verschoben hat, macht sie nun wieder Drei-Minuten-Beiträge für *Hierzulande – Heutzutage.*
Außerdem erfindet sie schon mal einen neuen Titel für ihr Thea-von-Harbou-Projekt. Sie muss es überarbeiten, um es noch einmal bei der Filmförderung einreichen zu können. Der neue Titel gefällt ihr: *Im Schatten des Mannes.* Doch viel weiter kommt sie nicht. Ihr Kopf bleibt leer. Nur Variationen des Satzes *Wenn die Welt nicht will, was du ihr zu geben hast, dann gib es ihr so lange, bis sie es will* kreisen in ihm herum. Und das allein ist noch kein kreativer Ansatz. Alix deckt ihre Schreibmaschine zu und gesteht sich ein, dass Anstrengung und Aufregung mit Verzögerung offenbar doch noch ihren Preis fordern. Höchste Zeit für ein Treffen mit der Freundin.

Neles unheimliche Fröhlichkeit dauert nun schon ein paar Monate an. Sie trägt noch immer rot, sogar im

Sender. Zwar gibt sie zu, mit ihren Klamotten den einen oder anderen Auftraggeber verprellt zu haben, meint aber, dafür werde sie von anderen umso öfter angefordert.
"Ich finde es spannend zu sehen, wie die Leute reagieren", behauptet sie und bricht wieder in dieses fette Lachen aus, das sie sich angewöhnt hat. Alix ist hin und hergerissen zwischen Ablehnung und Bewunderung.
Sie selber ist von solcher Selbstzufriedenheit weit entfernt. Sogar ihre Freude darüber, dass der Sokrates-Film tatsächlich fürs erste Programm angenommen wurde, hält sich in Grenzen. Denn sie hat es nur indirekt erfahren, in einer knappen Mitteilung über den Sendetermin. Als sie daraufhin in der Redaktion anrief, war Dr. Bonhoff für sie nicht zu sprechen. Der Film hat erreicht, was er sollte, aber die Atmosphäre bleibt trotzdem vergiftet.
"Das ist so ungerecht!" platzt Alix heraus. "Männer steigen im Wert, wenn sie sich durchsetzen. Aber von Frauen wird erwartet, dass sie pflegeleicht sind. Da wird einfach mit zweierlei Maß gemessen. Wenn ein Mann am Set brüllt, ist er durchsetzungsfähig, wenn eine Frau schreit, ist sie hysterisch."
"Jetzt komm doch mal raus aus deiner Opferrolle, das ist ja ätzend."
Alix starrt die Freundin an. Sie hatte auf Verständnis gehofft. Jetzt wird sie auch noch von Nele angegriffen.

"Du gibst den falschen Dingen Energie", sagt Nele gleichmütig, räumt die Kaffeetassen zusammen und bringt sie zur Geschirrablage. Alix sieht ihr nach und sinkt in sich zusammen. Wie kann Nele so unbekümmert sein?
"Hallo!" Nele wedelt mit der Hand vor ihren Augen hin und her.
"Kommst du jetzt mit oder nicht?"
"Ich weiß nicht."
"Es gibt nicht Gutes, außer man tut es."
"Kästner, Erich."
"Korrekte Quellenangabe. - Also, was ist, kommst Du jetzt mit, oder traust du dich nicht?"
Dass sie sich nicht trauen würde, ist ein Vorwurf, den Alix nicht auf sich sitzen lassen kann. So findet sie sich etwas später in einem Gymnastikraum mit Guru-Bild und Blumenstrauß wieder, zu einer so genannten *aktiven Meditation.* Zusammen mit ungefähr zwanzig anderen Menschen schüttelt sie sich im Takt der Musik. Die Knie sind locker, die Arme schlabbern, der Busen hüpft. Anders als im Film sind hier alle angezogen, teils in roten Nachtgewändern, teils in Shorts und T-Shirt. Manche tragen eine Augenbinde. Das hat Alix für sich abgelehnt. Sie will wissen, was um sie herum vor sich geht. Das ist allerdings nicht viel. Man schüttelt sich. Mehr passiert nun schon seit einer gefühlten Ewigkeit nicht. Eigentlich ist es langweilig.

Es gibt nichts Gutes, außer man tut es.
Kästner wollte nicht emigrieren. Er ist dageblieben, so wie Thea von Harbou. Er wollte Zeitzeuge sein und später den ganz großen Roman über das Naziregime schreiben. Er schlug sich durch, als Auftragsschreiber für Filmkomödien, unter falschem Namen. Aber als alles vorbei war, hat er den großen Roman nie geschrieben. Ein Gongschlag reißt Alix aus ihren Gedanken. Die Musik ändert sich und mit ihr die Bewegungen der Leute. Die einen tanzen, andere zappeln ungelenk. Jeder für sich an seinem Platz. Abgesehen vom Gurubild ist es fast wie in einer Disco. Alix schließt die Augen und überlässt sich dem Rhythmus. Doch kaum beginnt sie sich wohl zu fühlen, ändert sich die Musik erneut. Man setzt sich. Manche machen es sich auf einer Segeltuchkonstruktion gemütlich, die an eine Babywippe erinnert. Andere setzen sich auf Kissen. Auch Alix hat sich auf Neles Anraten vor Beginn der Meditation drei Kissen vom Stapel genommen.
Tücher werden um verschwitzte Schultern geschlungen. Dann tritt Ruhe ein. Ätherische Töne wehen durch den Raum. Alix ist vom Tanzen noch aus der Puste. Sie findet ihren Atem unangemessen laut in der Stille. Schweiß rinnt ihr von der Stirn, aber sie traut sich nicht, ihn abzuwischen. Endlich geht ihr Atem langsamer. Ein paar Glockentöne rieseln durch sie hindurch. Ein neuerlicher Gongschlag schreckt sie auf. Ist

sie etwa im Sitzen eingeschlafen? Die letzten Minuten sind wie ausgelöscht.
Wieder verändern die Menschen um sie herum ihre Position. Sie breiten ihre Kissen hintereinander aus und legen sich der Länge nach hin. Nach einer Weile vernimmt Alix leises Schnarchen. Sie öffnet die Augen, um zu sehen, wer da schnarcht. Doch außer ihr scheint sich niemand dafür zu interessieren. Anscheinend darf man hier schlafen. Wieso hat sie angenommen, das sei verboten? Warum ist sie immer so entsetzlich wohlerzogen? Sie hört dem Schnarchen zu. Es wird zu einem einlullenden Geräusch, wie bei einer Eisenbahn. Und plötzlich ist die Erinnerung an den Ellbogen der Mutter da, der sie zur Ordnung schubst, an die Mutterhand, die ihr den Rücken aufrichtet, an das peinlich berührte Mutterlächeln, ihre Bitte um Nachsicht für das Kind, das in aller Öffentlichkeit einfach eingeschlafen ist.
"Na, war´s schlimm?" fragt Nele hinterher.
"War okay. Ich wär beinahe eingeschlafen."
Nele lacht wieder ihr lautes Lachen.
"Das ist doch schon mal ein Anfang."
"Anfang wovon?"
"Ach Alix! Du willst immer alles mit dem Verstand begreifen."
"Womit denn sonst?"

Sylt

Es ist nicht das erste Mal, dass Didi und Alix Urlaub auf Sylt machen. Beide lieben den klaren, weiten Himmel, die frische Luft. Sie lieben es, hüllenlos in die eisigen Schaumkronen zu springen, sich von den Wellen massieren zu lassen und sich dann im windgeschützten Strandkorb wieder aufzuwärmen.
Bisher haben sie ihre Burg immer am Strand von Rantum geschaufelt. Doch diesmal hat Didi eine Ferienwohnung in Keitum ergattert und so mieten sie ihren Strandkorb erstmals im angesagten Kampen.
Auf den ersten Blick sieht es dort ganz ähnlich aus. Doch Alix meint zu spüren, dass die Luft in Kampen mit Ehrgeiz und Exhibitionismus aufgeladen ist.
"Das bildest du dir ein", meint Didi und amüsiert sich über ihren Kampf mit der Zeitung. Alix versucht vergeblich, eine Seite umzublättern. Die Schlagzeile *Nichts Neues im Fall Kronzucker* wölbt sich im Seewind.
"Schrecklich", sagt sie. "Jetzt sind die Kinder schon zehn Tage verschwunden. Das muss furchtbar sein für die Mutter."
"Meine Rede, besser gar nicht erst Mutter werden."
"Du bist unmöglich."

"Sorry, hat sich so angeboten."
Didi nimmt ihr die Zeitung aus der Hand, streicht sie glatt und reicht sie ihr klein gefaltet, zurück.
"Jahrelange Übung als Fahrschüler. Komm, wir laufen ein bisschen."
Er zieht sie hoch.
Der Kampener Strand ist dichter bevölkert als der von Rantum. Alix versucht, den Blick in die Weite zu richten, doch immer wieder hakt er sich fest an den männlichen Geschlechtsteilen, die an ihr vorbeiflanieren. Sie kann nicht umhin, die verschiedenen Anhängsel zu vergleichen. Was im normalen Leben schamhaft verborgen ist, wird hier stolz ausgeführt. Mal lang, mal kurz, fest oder baumelnd, schwarz behaart oder schütter blond lugt es unter feisten Bäuchen und dicken Pullovern hervor. Alix ist irritiert. Didi dagegen fühlt sich wohl. Er sucht nach bekannten Gesichtern. Als er jemanden aus der Hamburger Filmfirma erkennt, winkt er. Es wird freundlich zurückgewunken. Und so finden sie sich unversehens in einer illustren Runde wieder, zu der auch der berühmte Drehbuchautor Herbert Klein gehört. Normalerweise wäre Alix begierig, ihn kennen zu lernen. Er ist ein berufliches Vorbild für sie. Doch hier in diesem Rahmen ist sie gehemmt. Der kurze Kontrollblick, mit dem der Autor sie scannt und als uninteressant wieder fallen lässt, trägt auch nicht zu ihrem Wohlbefinden bei. Klein hat einen Ruf als Fami-

lienmensch und Frauenheld. Bei Männern schließt sich das nicht aus. Alix passt anscheinend nicht in sein Beuteschema. Anders die Blondine mit großem Busen, die nun dem Autor Sekt nachgießt. Sie ist mit nichts als einem goldenen Bauchkettchen bekleidet. Angesichts ihrer nahtlosen Bräune wird Alix unangenehm bewusst, dass die wenigen Stunden im Kölner Schwimmstadion weiße Bikinimarken auf ihrer Haut hinterlassen haben.
Auch die beiden Neuzugänge bekommen ein Glas Sekt in die Hand gedrückt. Didi wird als Nachwuchsproducer vorgestellt, den man gerade dem großen WDR abwerbe. Aber das sei noch geheim. Also nicht weitersagen!
Gelächter.
Alix hat sich noch nicht von ihrer Verblüffung über die Abwerbung erholt, als Didi einen Arm um ihre Schulter legt, und sie als seine Frau präsentiert. Einfach so, ohne ihren Namen zu nennen, den sie bei der Hochzeit behalten hat, und ohne sie als Filmemacherin vorzustellen. Es ist, als wäre ihr eine Tarnkappe übergeworfen worden. Als Ehefrau ist sie nicht nur langweilig, sondern auch tabu. Man bedenkt sie mit einem höflichen Lächeln und wendet sich wieder dem Gespräch zu, das die Herren mit ihren gelüfteten Schwänzen weitgehend unter sich bestreiten. Sie überbieten sich gegenseitig mit geistreichen Formulierungen und parlieren so zwanglos, als trügen sie Smoking bei einer Theaterpre-

miere. Derzeit wird Franz Josef Strauss aufs Korn genommen, der sich erdreistet, seine Machtsphäre über den Weißwurstäquator hinaus ausdehnen zu wollen.
Alix sieht einer Möwe nach und verpasst den Übergang des Gesprächs zum Boykott der Olympischen Spiele in Moskau. Man streitet darüber, ob der Boykott eine angemessene Reaktion auf den sowjetischen Einmarsch in Afghanistan sei. Alix hört dem Geplänkel zu, leert ihr Sektglas und beobachtet die sich rasch entfaltende Wirkung des Alkohols. Sie hält Ausschau nach einem Schattenplatz, als sie von einer Einladung zum Volleyballspiel überrascht wird. Didi ist schon dabei. Er will auch Alix in die Mannschaft ziehen. Doch sie verweigert sich. Sie mag Volleyball lieber im angezogenen Zustand als unter dem Diktat des Sylter Nacktheitskodex. Aber das sagt sie nicht.
"Was ist denn los mit dir?" fragt Didi gereizt.
"Ich will lieber lesen."
"Dein Buch läuft dir doch nicht weg."
Er zuckt verständnislos mit der Schulter und wendet sich den Spielern zu. Alix verabschiedet sich, winkt noch einmal, um Unbefangenheit zu signalisieren, und geht zum Wasser.
Unzufrieden mit sich selber lässt sie ihre Füße von einer Welle überspülen. Sie tritt beiseite und betrachtet, wie ihre Fußstapfen sich mit Wasser füllen. Dann zerstört sie den Abdruck und rennt los. Aber sie kommt

nicht weit. Eine scharfe Muschelschale bohrt sich in ihre Fußsohle. Es blutet. Zum Glück ist der Schnitt nicht tief. Wenn sie nur mit der Hacke auftritt, geht es.
Ein Blick zurück zum Volleyballfeld zeigt ihr, dass Didi mit vollem Elan dabei ist. Er springt nach dem Ball, stößt ihn zurück über das Netz und fällt rücklings in den Sand. Ein Punkt für seine Seite. Er wird beklatscht, lacht und rappelt sich auf. Er gehört dazu, und er hat ganz offenbar Spaß.
Anders als sie, die nun einsam in Richtung Strandkorb humpelt. Sie fühlt sich abgehängt, obwohl sie diejenige ist, die nicht mitspielen wollte.
Wie rasch sich die Dinge verschieben können. Die Voraussetzungen ändern sich, und schon bist du ausgegrenzt. Du passt nicht mehr ins Bild.
Alix steigt über eine fette blaue Qualle. Im Wasser ist es ein schönes Tier, himmelblau leuchtend, mit eleganten Bewegungen. Aber das Meer hat die Qualle ausgespuckt, und am Strand ist sie nicht in ihrem Element. Die Sandkörner kleben an ihr, sie sieht schmutzig aus, kann sich nicht mehr bewegen. Wie Alix vorhin. Sie hat sich wie paralysiert gefühlt, unpassend, hässlich.
Sie bringt das Glibberding mit einem Zeh zum Wabbeln. Ob es überlebt, bis die Flut kommt? Sie humpelt weiter und denkt wieder einmal über Thea von Harbou und Fritz Lang nach. Sie überlegt, wie das ist, wenn einer von beiden auf einmal zu einer verfemten

Minderheit gehört. In den Zwanziger Jahren waren die beiden ein Glamourpaar, 1933 ließen sie sich scheiden. Lang war Jude, Thea war Arierin. Aber die Ehe war schon lange vorher kaputt, aus ganz anderen Gründen. Gelegentliche Eskapaden von Lang hatte Thea ertragen. Doch die ständige Nebenfrau, diese Schauspielerin, mit der er sich in aller Öffentlichkeit zeigte, das war ihr zu viel. Nicht alles lässt sich mit dem Nationalsozialismus erklären.
Wo ist nur dieser verdammte Strandkorb? Die Nummern, die sie lesen kann, sind im Dreihunderterbereich. Ihr Strandkorb hat die Nummer 567. Offenbar ist sie vorhin mit Didi weiter gelaufen, als ihr klar war. Sie schaut zurück. Die Volleyballspieler sind kaum noch auszumachen.
Es hilft nichts, sie muss weitergehen. Sie versucht, mit ganzem Fuß aufzutreten. Das schmerzt. Also weiter humpeln. Wie sie wohl reagiert hätte, damals?
Wie verhalte ich mich, wenn sich die Prämisse ändert? Wenn plötzlich andere das Sagen haben, wenn plötzlich andere Leute in den Redaktionsstuben sitzen. Passe ich mich dann an?
Die Gesellschaft gerät ins Rutschen und man rutscht mit. Das kann fast unmerklich geschehen. Wenn die jüdische Konkurrentin ins Ausland geht, dann ist das ihr Ding, oder? Pech für sie, Glück für mich. Weil sie weg ist, bekomme ich die Chance, meinen Film zu

machen. Was würde es der Weggegangenen helfen, wenn ich meine Chance nicht ergriffe?
Wahrscheinlich ging es so. Zunächst ganz ohne Zwang. Am Anfang war nichts in Gefahr außer der eigenen Karriere. Und später war es zu spät. Wo fängt das Mitläufertum an?
Als Dr. Bonhoff keinen feministischen Film wollte, da hat Alix einen über Sokrates gemacht. Das ist an sich nichts Verwerfliches. Niemandem wäre damit gedient gewesen, wenn sie gar keinen Film gedreht hätte. Anpassung ist ein Überlebensinstinkt. Anpassung ist notwendig. Wo ist der Punkt, an dem Widerstand gefragt ist? Und was, wenn man ihn verpasst? Wo ist der Kompass? Die meisten Demokratien sterben von innen heraus. Von Sokrates bis zu Hitler, alles demokratisch gewählte Regierungen.
Genug gegrübelt! Alix rennt in die Wellen. Fuß hin oder her. Salzwasser sterilisiert.

Am Abend sprechen sie sich aus. Didi versichert, dass er Alix nie mehr einfach nur als seine Frau vorstellt. Und er erklärt, dass ihn das mit der Abwerbung selber überrascht habe. Das sei nur Small Talk gewesen. Da sei noch gar nichts spruchreif. Natürlich würde er nie etwas unterschreiben, ohne sich vorher mit Alix zu besprechen.

Sie kochen einträchtig in der Ferienwohnung. Und nach dem Essen gehen sie am Watt spazieren. Sie genießen die Ruhe, das goldene Licht auf flachem Wasser, den atmenden Schlick und den Wind in hohen Gräsern.
Als sie an Wildrosenbüschen vorbeikommen, pflücken sie Hagebutten und pulen das Fruchtfleisch mit den Zähnen von den Kernen. Alix sammelt heimlich ein paar der haarigen Kernchen, schüttet sie Didi als Juckpulver in den Nacken und rennt weg.
"Na warte!"
Didi holt sie ein und wirft sie auf den weichen Grasboden.
Alix ruft lachend "Gnade! Gnade!"
Die Bestrafung erfolgt dennoch und wird von Alix höchst freiwillig entgegengenommen. Ihre Lustschreie vermischen sich mit den Schreien der Möwen.

Urlaubsende

Zwei Tage später kommt Didi freudestrahlend vom Volleyballspiel zurück.

"Stell dir vor, ich bin bei *Drei-nach-Neun* dabei! Was sagst du dazu?"

Alix sagt erst einmal gar nichts. Sie cremt sich ihre Nase sorgfältig ein und hält Didi die noch offene Tube hin. Er ignoriert die Tube und beschwört Alix: "Der Producer ist krank geworden. Das ist meine Chance!"

"Weiß das der WDR?"

"Nicht nötig, ich hab ja Urlaub."

Alix kneift die Augen zusammen und schraubt den Deckel auf die Tube.

"Du meinst, *wir* haben Urlaub."

Didi verlegt sich aufs Betteln.

"Das ist die beste Talkshow weit und breit, guckst du doch auch gerne, da sind alle dabei..."

"Wann?"

Didi windet sich.

"Na ja, wir müssten schon morgen, das heißt ich müsste, du kannst natürlich noch hierbleiben."

"Allein?"

Ihr Tonfall ist unmissverständlich. Das ist nicht das, was sie sich vorstellt. Sie steht auf, pflückt die Handtücher von der Leine des Strandkorbs und faltet sie ordentlich zusammen. Das passt so wenig zu ihr, dass Didi Angst bekommt.
"Soll ich absagen?", fragt er. "Wenn du willst, mach ich das."
Alix sieht ihn lange schweigend an. Sie kann nur verlieren. Wenn sie ja sagt, ist der Urlaub zu Ende, wenn sie nein sagt, ist sie die Spaßbremse.
"Morgen soll sowieso schlechtes Wetter sein", sagt sie schließlich.
"Du bist ein Schatz!"
Didi wirbelt sie im Kreis herum. Alix´ Füße streifen die ordentlich zusammengefalteten Handtücher. Sie purzeln in den Sand.

Bis Bremen fahren sie gemeinsam. Dort sehen sie sich die Altstadt an, finden die Rathausfassade spektakulär, den Bremer Roland riesig, die Stadtmusikanten langweilig und das Schnoor-Viertel hinreißend. Sie essen Labskaus und Scholle zu Mittag, bevor sich ihre Wege trennen.

Zu Hause bringt Alix der Nachbarin ein Muschelkästchen voller Pralinen als Dankeschön fürs Katzenver-

sorgen. Im Gegenzug nimmt sie einen Poststapel in Empfang.
Darin befindet sich ein etwas dickerer Umschlag. Er enthält einen Brief von Frau Talheim, eine mehrseitige Liste und den Prospekt eines Seniorenpflegeheims. Alix betrachtet zunächst die Fotos auf dem Prospekt. Gebäude und Einrichtung sehen edel aus. Ein angemessenes Ambiente für Eric. Mal sehen, was Frau Talheim schreibt.

Liebe Frau Hering,
aus gegebenem Anlass möchte ich Ihnen mitteilen, dass Ihr Onkel, Eric Baumöller, nunmehr in einem sehr schönen Heim untergebracht worden ist. (siehe Prospekt) Da die Villa in absehbarer Zeit wieder vermietet werden soll, obliegt es mir in meiner Eigenschaft als Betreuerin, die Versteigerung der Möbel und sonstigen Gegenstände (siehe beiliegende Liste) in die Wege zu leiten. Ich gebe Ihnen, liebe Frau Hering, vorab davon Kenntnis, damit Sie die Gegenstände ankreuzen können, die sie selber erwerben möchten.

Erwerben? Wie bitte?

Die Mindest-Biet-Preise stehen auf der Liste.

Was?
Alix tobt. Nicht nur, dass sie für nichts und wieder nichts zehntausend Mark an die Anwältin gezahlt hat,

jetzt soll sie auch noch für den Krempel der Tante löhnen! Das wird ja immer schöner.
Als sie sich wieder beruhigt hat, prüft sie die Liste. Die Ölgemälde interessieren sie sowieso nicht. Allerdings befindet sich auch der Mohr unter den aufgeführten Gegenständen. Er geht mit 1.176 Schillingen ins Rennen. Alix hat keine Ahnung, wie viel das ist. Das soll Didi ausrechnen, wenn er wieder da ist.
Nein! Das muss Didi überhaupt nicht ausrechnen. Sie wird einen Teufel tun und sich diesen Mohr in die Wohnung stellen. Wenn sie jemals einen Film über Thea von Harbou macht, dann soll der Ausstatter irgendeinen Mohr besorgen, leihweise, nur für die Produktion!
Alix geht in die Küche, setzt Teewasser auf und öffnet eine Dose vom teuren Katzenfutter. Sie hofft, die Katzen damit gnädig zu stimmen. Doch so sehr sie auch lockt, Marx und Lenin bestrafen sie für ihre Abwesenheit und lassen sich nicht blicken. Zeit, den Brief zu Ende zu lesen.

Bitte schreiben Sie mir, ob Sie vorhaben, zur Versteigerung zu kommen.
Mit freundlichen Grüßen, Ihre Sieglinde Talheim

Alix zerreißt das Schreiben sorgfältig in kleine Stücke und wirft das Konfetti in den Papierkorb. Am nächsten

Tag antwortet sie Frau Talheim, sie sei zum Datum der Versteigerung leider verhindert. Sie verzichte auf die verzeichneten Gegenstände, bitte jedoch darum, alle persönlichen Dokumente der Tante wie Briefe, Tagebuchaufzeichnungen und Fotos für sie beiseitezulegen. Sie werde sich melden, wenn sie das nächste Mal in den Süden fahre, um einen Abholtermin auszumachen.

Nachdem das erledigt ist, wendet sie sich dem Drehbuch über Thea von Harbou zu. Sie liest, was sie bereits zu Papier gebracht hat, und stellt erfreut fest, dass ihr vieles gefällt. Die Unterbrechung hat gutgetan. Sie macht sich mit neuer Kraft ans Werk. Einen Vorteil hat der verkürzte Urlaub: So ist der Abgabetermin für die Filmförderungsanstalt locker zu schaffen.

Parallel zur Arbeit am Drehbuch durchforstet sie die Tageszeitung nach möglichen Themen für die Regionalredaktion. Sie findet eine kleine Notiz über eine in den Zwanziger Jahren berühmte Schriftstellerin, die in ihre Geburtsstadt Köln heimgekehrt ist, um sich hier in einem Krankenhaus behandeln zu lassen. Die WDR-Bibliothek führt tatsächlichen einen der alten Romane von Ingeborg Kast und eine Broschüre zu ihrem Leben. Alix leiht beides aus, liest sich ein und schlägt der Redaktion *Hier und Heute* ein Interview mit der Autorin vor. Das Interesse hält sich in Grenzen. Immerhin gibt es den unverbindlichen Auftrag, erst einmal auszuloten, was diese Dame, die keiner kennt, zu sagen hat.

Begegnung

Alix telefoniert verschiedene Krankenhäuser durch. Beim vierten erzielt sie einen Treffer. Die Schriftstellerin liegt auf Zimmer 209 der orthopädischen Station. Das hört sich nach Arm- oder Beinbruch an. Alix verzichtet darauf, sich umständlich anzumelden, besorgt sich einen Blumenstrauß und geht einfach zur offiziellen Besuchszeit hin.
Der Besuch wird ein Desaster.
Alix klopft, hört ein mürrisches "Ja!"
Sie öffnet die Tür zum Krankenzimmer. Eine alte Frau sitzt auf der Bettkante. Ihre Haare stehen fieselig in alle Richtungen. Sie trägt ein Flanellnachthemd und mustert den Eindringling mit stechenden kleinen Augen.
"Guten Tag", sagt Alix artig und hält der Frau ihren Blumenstrauß entgegen. Doch die winkt ab, als wollte sie lästige Fliegen verscheuchen.
"Das Friedhofsgemüse lassen Sie mal draußen. Noch bin ich nicht so weit."
"Ich könnte sie ins Wasser stellen."

"Hören Sie schlecht? Ich will diesen Grünkram nicht! Wer sind Sie überhaupt?"
"Alix Hering. Ich bin Fernsehjournalistin, ich habe gehört, dass Sie nach langer Zeit wieder einmal in Ihrer Heimatstadt sind, und ich..."
"Ha! Die Aasgeier kreisen", wird sie unterbrochen. "Wollen Sie sich an einem alten Wrack aufgeilen?"
"Entschuldigung", sagt Alix verschreckt. "Ich ehm, ich habe Ihr Buch gelesen, ich finde es großartig, und ich wollte mit Ihnen..."
"Schnee von gestern!"
Mit einer wegwerfenden Handbewegung dreht die kleine Frau Alix den Rücken zu und sieht demonstrativ aus dem Fenster. Alix stottert sich in eine Entschuldigung hinein.
"Es tut mir leid. Ich hätte mich wahrscheinlich anmelden sollen."
"Hätten Sie!"
"Aber im Krankenhaus sagte man mir, ich könne während der Besuchszeiten einfach... Entschuldigung, das war naiv."
"Ja! Naiv!"
Die alte Frau wendet sich Alix wieder zu. Ein boshaftes Grinsen breitet sich über ihr ausgemergeltes Gesicht.
"Naiv darf man nur als Romanfigur sein, nicht in der Wirklichkeit. Merken Sie sich das, junge Frau. Und jetzt verschwinden Sie."

Alix wendet sich zur Tür und murmelt ein *Auf Wiedersehen.* Sie hat die Türklinke schon in der Hand als ihr ein *Nein!* in den Rücken fährt.
"Kein Wiedersehen!"
Die Augen von Ingeborg Kast funkeln. Offenbar nimmt sie es genau mit den Wörtern. Das nötigt Alix Respekt ab.
"Leben Sie wohl", verbessert sie sich. Sie zieht die Tür hinter sich ins Schloss und lehnt sich von außen dagegen.
Eine vorbeikommende Schwester sieht sie und grinst.
"Hat Ihnen unser Rumpelstilzchen die Blumen ins Gesicht geschmissen?"
"So gut wie", sagt Alix. "Können Sie den Strauß vielleicht jemand anderem geben?"
"Gern. Da drüben in dem Schrank sind Vasen. Einfach dahinstellen."
Sie eilt davon. Alix versorgt die Blumen und macht, dass sie dem Krankenhausgeruch entkommt.

Vor der Klinik setzt sie sich auf eine Bank. Sie betrachtet das Ensemble aus Bruchsteinen mit Pampasgras, und lässt die Begegnung Revue passieren. Was für eine Wut. Und was für eine Stärke, trotz der Krankheit. Die Schriftstellerin ist böse geworden über ihrem Leben.
Die Romanheldin von Ingeborg Kast wollte immer *ein Glanz* sein. Wahrscheinlich wollte die Autorin selber

auch ein Glanz sein. Sie hat es sogar erreicht, zeitweise zumindest. In den Zwanziger Jahren war sie eine Bestsellerautorin. Als ihre Bücher von den Nazis verboten wurden, hatte sie die Dreistigkeit, die Regierung wegen entgangener Tantiemen auf Schadensersatz zu verklagen. Eine Rebellin, schon damals – und naiv.
So naiv, wie sie es Alix gerade vorgeworfen hat. Natürlich erreichte sie mit ihrer Klage nur, dass sich die Gestapo an ihre Fersen heftete. Sie floh ins Ausland, aber nicht weit genug. In Holland wurde sie von den Nazis wieder eingeholt. Sie hatte damals einen deutschen Ehemann und einen jüdischen Geliebten. Was für ein Chaos!
Das Kriegsende überlebte sie mit falschem Pass. Den hat ihr ein SS-Mann beschafft, ausgerechnet. Wahrscheinlich für entsprechende Gegenleistungen. Der Körper als Tauschobjekt. Das kannte schon ihre Romanheldin.
Ingeborg Kast überlebte. Aber sie passte nicht in das restaurierte Familienidyll der Nachkriegsgesellschaft. Für ein Comeback in den Fünfziger Jahren waren ihre Romane zu frech. Undenkbar, dass Alix´ Mutter einen dieser Romane gelesen hätte. Dass die ältere Schwester sie kannte, ist schon eher vorstellbar. Tante Axel wusste durchaus, wie sie ihre weiblichen Reize einsetzen konnte. Alix denkt an ein Foto von ihr im Jeep. Das Lächeln, das sie dem unsichtbaren Fotografen zuwirft,

ist vielversprechend, und den Rock hat sie so geschürzt, dass ihr schlankes Bein gut zur Geltung kommt.
Alix erinnert sich auch an diverse Urlaubsfotos mit Männern, die definitiv anders aussahen als der damalige Ehemann der Tante. Und was war mit dem liberianischen Botschafter? Ist sie wegen ihm nach Afrika gereist?
Alix steht auf und geht zu ihrem Fahrrad.
Ingeborg Kast hat ihren Sturz in die Bedeutungslosigkeit nicht gut verkraftet. Den Teufelskreis von Alkoholismus und Entzug hat sie mehrfach durchlebt. Und nun ist sie eine grantige alte Frau. Was für eine Geschichte! Leider zu kompliziert für drei Minuten Regionalfernsehen. Eher ein Biopic. Aber leider eines, das keiner haben will, jedenfalls nicht, solange alle entscheidenden Gremien überwiegend männlich besetzt waren.
Vorsicht! So sollte sie gar nicht erst denken. Sie will doch kein schlechtes Omen in die Welt schicken. Am Ende wirkt sich das noch auf ihr Thea-von-Harbou-Projekt aus.

Wut

Didi ist zufrieden von seinem Ausflug in die norddeutsche Medienszene zurückgekehrt. Noch gibt es laue Sommerabende. Die genießen sie auf ihrem kleinen, aber dicht bepflanzten Balkon. Sie amüsieren sich gemeinsam über Themen, die Alix fürs Regionalfernsehen bearbeitet: Eine Rosenneuzüchtung, Hundekot auf dem Spielplatz, und die weltbewegende Frage, wie hoch der Anteil von Kirschwasser an der Schwarzwälder Kirschtorte ist. Zu Letzterem interviewt Alix einen Konditor, verschiedene Damen in Cafés und den Besitzer einer Backwarenfabrik. Von diesem bekommt sie eine Torte samt einer Flasche Kirschwasser geschenkt. Das wird zum Anlass für eine Spontanfete mit Nachbarn im Innenhof. Die Kirschwasserflasche leert sich rascher als der Tortenteller. Die Stimmung wird ausgelassen, und Didi wirft die Frage auf, ob es sich bei den Geschenken um einen Fall von Schleichwerbung handelt oder um Bestechung. Alix findet das nicht witzig und will die Torte in den Müll werfen. Unter lautem Gelächter wird sie daran gehindert. Das sei nun wirklich ein Verbrechen! Man denke nur an den Hunger in der Welt. Die Torte wird rasch vertilgt und

Nachschub an Trinkbarem besorgt. Deutscher *Asbach Uralt* tritt gegen einen spanischen *Osborne* an. Der Gewinner wird durch stetiges gegeneinander Probieren ermittelt. Dazu redet man sich die Köpfe heiß über die Frage, inwiefern es Afrika nützt, wenn hierzulande an Duschwasser gespart wird. Während die einen meinen, mit kurzen Duschzeiten mache man nur sich selber unglücklich, fordern andere, warmes Duschen überhaupt zu verbieten, aus ökologischen und aus gesundheitlichen Gründen. Schließlich landet man bei einer Diskussion über verschiedene Toilettentraditionen. Die Bequemlichkeit deutscher Sitzthrone tritt gegen die hygienischen Vorteile der südeuropäischen Hocktoilette an. Zumindest was öffentliche Anlagen angeht, siegt an diesem Abend die mediterrane Lösung.
Als jemand angesichts des Monds über dem Dachfirst *Guter Mond du geh-ehst so-o sti-i-lle* anstimmt, wird das als Aufbruchssignal gewertet.

Endlich kommt der aufregende Tag, an dem der Sokrates-Film ausgestrahlt wird. Alix und Didi richten ein kleines Buffet her, zu dem sie Freunde und Teammitglieder einladen. Wie erwartet, kommt der Film im Kreis der Eingeweihten gut an. Aber auch die Einschaltquote ist für die späte Sendungszeit erfreulich hoch. Die Publikumsresonanz reicht von indignierten Kommentaren über den flapsigen Umgang mit einem großen Philosophen, bis zu begeisterten Zuschriften. Das Presseecho ist überwiegend positiv. Vom neuen Genre eines Filmessays ist die Rede. Ein Journalist allerdings findet den Versuch, Sokrates mit der politischen Gegenwart zu verknüpfen, *äußerst banal.*

Alix könnte sich an die guten Rückmeldungen halten. Aber so, wie sie nun mal gestrickt ist, gelingt ihr das nicht. Stattdessen bohrt sich das Wörtchen *banal* in ihr Hirn wie eine Zecke.

"Jetzt hör doch mal auf damit", meint Didi genervt, als sie sich zum wiederholten Mal darüber beschwert. "Freu dich doch einfach mal über deinen Erfolg! Die Reihe soll doch sogar fortgesetzt werden."

"Soll sie das?"

"Ja. Hab ich gehört."

"Und wieso weiß ich nichts davon?" fragt Alix misstrauisch.

"Du wirst es schon noch erfahren."

In der Tat erfährt sie es. Allerdings nicht auf dem offiziellen Weg. Eine Kollegin freut sich darauf, Alix bei einem Brainstormtermin zur Fortsetzung ihrer Reihe zu treffen. Nur dass Alix leider keine Einladung zu diesem Termin erhalten hat. Das kann nur eines bedeuten: Die Reihe wird fortgesetzt, aber ohne die Mitwirkung von Alix.

Auf dem Nachhauseweg trommelt sie wütend aufs Lenkrad und schreit lauthals *Scheiße, Scheiße, Scheiße,* bis spöttische Blicke eines Autofahrers auf der Nebenspur sie daran erinnern, dass ihr Auto keine schalldichte Kabine ist.

Alix streckt dem Mann die Zunge heraus, woraufhin dieser sich mit einem Fingertippen an die Stirn revanchiert. Die Ampel wird grün, Alix prescht los und überlegt, wohin mit ihrer Wut. Vielleicht sollte sie doch noch einmal zu Neles merkwürdiger *Dynamischer Meditation* gehen, obwohl sie sich geschworen hat, das nicht zu tun. Auf Kommando zu brüllen und zu toben, das ist ja wohl noch absurder als die alljährlich aus dem Nichts ausbrechende Karnevalsfröhlichkeit.

"Ich will weder auf Kommando fröhlich, noch auf Kommando wütend sein", hat sie zu Nele gesagt. "Außerdem bin ich sowieso nie wütend."

Im letzten Punkt hat sie sich offenbar geirrt. Im Moment ist sie wütend, stinkwütend sogar. Wütend auf den blöden Autofahrer, wütend auf den Redakteur, wütend auf die Ungerechtigkeit, dass sie als Begründerin einer Reihe von deren Weiterführung ausgeschlossen wird.

Vielleicht sollte sie einfach seelenruhig zu diesem Brainstormtermin hinspazieren und so tun, als wäre sie eingeladen. Männer würden das tun. Und sie kommen damit durch. Aber Frauen...

Fast hätte sie eine rote Ampel übersehen. Sie bremst hart. Schon wieder ist dieser arrogante Schnösel neben ihr. Er grinst unverschämt zu ihr herüber. Jetzt lässt er auch noch seine Zunge anzüglich zwischen seinen Lippen spielen. Ekelhaft. Alix versucht krampfhaft, diesen Idioten zu ignorieren. Dagegen waren die Idioten in Neles Meditation direkt angenehm, jedenfalls waren sie nicht anzüglich. Die haben gebrüllt, geheult, gelacht, in Kissen geboxt, oder gegen Säulen getreten, aber keiner wurde übergriffig. Niemand beachtete das schreckensstarre Häufchen Elend namens Alix am Rand des Hexenkessels. Alle ließen sich von der düster dräuenden Musik befeuern, bis ein Gongschlag das Chaos ebenso plötzlich beendete, wie es ausgebrochen war.

Alix erreicht eine Ausfallstraße und gibt Gas. Sie hat jetzt ein Ziel: den Wald bei den Braunkohleseen. Sie wird sich die Wut aus dem Leibe joggen. Der Wanderparkplatz ist leer. Wenigstens das. Sie knallt die Autotür zu und rennt den Weg hoch. Wozu braucht sie einen Guru, wenn sie im Wald schreien kann. Sie tut es ausgiebig und mit Lust.

Dummerweise antwortet ihr ein Hund. Verdammt! Nirgends kann man allein sein. Alix schnaubt unmutig. Zu sehen sind weder Hund noch Besitzer, aber schreien mag sie jetzt trotzdem nicht mehr.

Eine Krähe fliegt auf. Die Bäume haben kaum noch Laub, nur vereinzelte gelbe Blätter. Die am Boden sind schon zu erdbraunem Matsch geworden. Alles ist ver-

gänglich. Eine Sekunde Anerkennung, und schon ist sie wieder raus dem Spiel. Ihr Spielfilmehrgeiz ist zu teuer fürs dritte Programm!
Alix kickt einen Stein gegen einen Stamm.
Was kann sie dafür, wenn der Redakteur nicht überreißt, was Spielfilmszenen kosten? Eigentlich ist es seine Schuld. Aber nun macht er einen Bogen um sie. Wenn Männer ihre Budgets überziehen, dann sind es Teufelskerle. Sie lachen miteinander, trinken, und alles ist wieder gut. Männer können miteinander streiten und sind hinterher trotzdem beste Kumpels. Wie machen die das bloß? Frauen rechtfertigen sich, oder sie sind beleidigt. Beides macht sie unbeliebt.
Alix lässt sich auf einen Baumstumpf fallen, und starrt auf die verrottenden Blätter. Vielleicht ist es falsch zu glauben, es gehe nur um die Arbeit. Vielleicht geht es mindestens so sehr um das, was zwischen den Aufträgen stattfindet, um die kleinen Machtspiele.
In der Arbeit ist sie gut, aber in den Machtspielen ist sie eine Niete. Machtspiele hat sie nie gelernt. Zu Hause waren die Machtverhältnisse klar. Der Vater hatte das Sagen, und die Mutter hat sich gefügt. Da wo Alix sich nicht fügen wollte, wurde sie mit freundlicher Nachsicht bedacht:
Sie ist ein bisschen extrem, aber das wächst sich aus.
Nichts wächst sich aus! Wütend springt Alix auf und stürmt den Weg entlang.

Ihre Eltern waren so was von zum Kotzen tolerant! Pure Scheintoleranz! Bei einem Jungen hätten sie das Extreme unterstützt. Aber bei einem Mädchen sollte es sich abschleifen. Als ihr Brüste wuchsen, wurde sie ausgebremst, aufs Allerfreundlichste. Jungen dürfen kämpfen. Mädchen müssen lächeln. Alix boxt in die Luft.
Pah! Pah! Pah! Pah! Pah! Als die Wut verraucht ist, blickt sie verlegen umher. Glück gehabt. Niemand ist da, der sie hätte beobachten können. Und wenn schon. Es sollte ihr egal sein! Aber es ist ihr nicht egal. Es sitzt tief, das Brave. Mit langsamen Schritten macht sie sich auf den Rückweg zum Auto.

Zu Hause öffnet sie den Briefkasten. Reklame und ein Umschlag der Filmförderungsanstalt fallen ihr entgegen. Hoffnung vermischt sich mit Angst. Sie reißt den Umschlag noch im Hausflur auf.
Eine Absage. Das ist wirklich nicht ihr Tag.
Betäubt geht sie nach oben, macht sich einen Tee mit viel Zucker, und sieht sich die Absage genauer an. Ihr Drehbuch wird mit ein paar dürftigen Standardsätzen zum Altpapier erklärt.

Die Kommission ist in ihrer Sitzung nach eingehender Diskussion und Beratung zu dem mehrheitlichen Ergebnis gelangt, dass das Projekt PD 128/80 gemäß §47 Abs.1 Satz 1 Filmförderungsgesetz (FFG) nicht zu fördern ist.

Alix fällt auf, dass *mehrheitlich* in einer anderen Schrift geschrieben ist. Anscheinend ist das Wort in den genormten Vordruck eingesetzt worden.
Mehrheitlich. Zumindest nicht einstimmig. Vielleicht hat die einzige Frau im Gremium für sie gestimmt.

Der Bescheid ergeht gebührenfrei.

Sie lacht bitter auf. Wenn das nicht freundlich ist. Keine Gebühr für diesen Wisch! Auf Seite zwei erfolgt so etwas wie eine individuelle Begründung.

Die Kommission ist der Auffassung, dass die Geschichte in ihrer Substanz zu mager ist, um einen abendfüllenden Spielfilm zu tragen. Die Kommission bezweifelt somit die Qualität wie auch die Wirtschaftlichkeit des Projektes.

Den Rest überfliegt Alix. Es gibt einen Absatz zur Rechtsmittelbelehrung. Aber von Anwälten hat Alix vorerst die Nase voll. Wahrscheinlich hätte es sowieso keinen Zweck, Widerspruch einzulegen. Sie locht den Wisch, zieht den Aktenordner *Thea von Harbou* aus dem Regal, schlägt ihn beim Trennblatt FFA auf, und legt die Absage hinein.
Den Ordner zurück ins Regal zu stellen, fühlt sich wie Schwerarbeit an. Plötzlich ist ihr alle Kraft abhandengekommen. Sie kennt dieses Gefühl und sie fürchtet es. Sie nennt es das große Loch. Wenn es einmal da ist,

speist es sich aus sich selbst und kann über Wochen andauern. Die Müdigkeit wird zu einer bodenlosen Antriebslosigkeit, in der sie sich nicht wiedererkennt. Alles ist besser als dieses Loch. Alix sieht auf die Uhr. In einer Stunde beginnt diese bekloppte Meditation. Vielleicht sollte sie ihr noch mal eine Chance geben. Lieber verrückt als depressiv.

Diesmal nimmt sie eine der angebotenen Augenbinden. Sie will die anderen gar nicht sehen. Sie will allein sein, wenn sie sich auf die Reise zu ihrer Wut begibt. Allein inmitten von anderen, die genauso irre sind.
Die erste Phase dient dem Anheizen. Sie pumpt sich mit hypertrophem Atmen auf. Und als der Gong erklingt, lässt sie sich von den anderen mitreißen. Sie schreit, was das Zeug hält. Danach springt sie bis zur Erschöpfung, fällt anschließend in eine bewegungslose Stille und tanzt sich wieder zurück ins Leben. Am Ende ist sie wieder erschöpft, aber diesmal körperlich. Das fühlt sich überraschend gut an.

Wieder Weihnachten

Am ersten Advent ruft Alix´ Vater an und meint, er freue sich schon auf Weihnachten, und den Wein würde er auch wieder mitbringen.
"Ehm, wir haben noch gar nicht..."
"Ihr fahrt doch nicht weg, oder?" fragt der Vater.
"Das nicht, aber..."
"Dann ist es ja gut. Ich dachte schon, ihr macht so einen neumodischen Quatsch, wie Weihnachten in der Karibik."
Auch Didis Mutter geht davon aus, dass man wieder im Kreis der Familie feiert. Sie fragt lediglich an, ob Tantchen ihren neuen Freund mitbringen darf. So sind sie diesmal zu sechst, und es wird ein fröhlicher Abend.

Nach Weihnachten fahren Alix und Didi dann doch noch weg. Allerdings nicht in die Karibik, sondern in den Schnee. Didi wollte erst nicht. Skifahren kam in seiner Kindheit nicht vor. Deswegen hält er es für gefährlich, kalt und viel zu teuer. Doch Alix meinte, erstens könne man Skiklamotten auch leihen, zweitens habe sie noch etwas gut vom Sommer, und drittens böte ein Skiurlaub die Möglichkeit, das Angenehme mit dem Praktischen zu verbinden. Wenn sie ins Montafon fahren, könnten sie auf dem Rückweg Station machen in Hohenems, um die Alben und Tagebücher der Tante abzuholen.

So kommt es, dass sie Sylvester 1980-81 in dem beschaulichen Gargellen verbringen, mit Blick auf eine Zwiebelturmkirche und auf Bauernhofdächer unter dicken Schneekissen.

Didi belegt einen Skikurs und wird bald zum Star der Anfängergruppe. Niemand lässt sich mit solcher Begeisterung in den Schnee fallen wie er.

Alix braucht keinen Kurs. Sie erinnert sich einfach an das, was sie als Teenager auf dem Zugspitzplatt gelernt hat, beim privaten Skilehrer von Tante Axel. Es dauert nicht lange und sie gleitet wieder in eleganten Parallelschwüngen über die Piste. Sie fühlt sich großartig und denkt voller Dankbarkeit an ihre Tante. Sie winkt ihr mit dem Skistock zu. Just in diesem Moment bricht ein Sonnenstrahl durch die grauen Wolken. Alix lacht, kneift die Augen zu und pustet ein Küsschen in den Himmel. Wer weiß, vielleicht bekommt Tante Alexandra es irgendwie mit, dass sie nun wieder ihre Traumtante ist.

Am vierten Tag lässt Didi den Idiotenhügel hinter sich und kommt mit auf den Schafberg. Den Anfang der Piste nimmt er noch mit Vorsicht, doch als die Hütte in

Sicht ist, prescht er breitbeinig und draufgängerisch an Alix vorbei. Das letzte Stück fährt er Schuss.
"Erster!" posaunte er triumphierend.

Für die Rückfahrt haben sie zwei Unterbrechungen geplant. Deshalb starten sie noch im Dunkeln.
"Klassik oder Jazz?", fragt Alix.
"Klassik."
Alix schiebt eine Beethovenkassette ein. Sie hören der Musik zu und sehen das Licht langsam heller werden. Beim zweiten Satz des Triple Konzerts schiebt sich die Morgensonne über Gipfelkanten, taucht unberührte Hänge in rosig weißes Licht. In den Minusgraden der Nacht sind Eiskristalle gewachsen. Sie blitzen weithin über die Schneefelder.
"Eigentlich schade, dass wir heute schon fahren", sagt Didi angesichts des wolkenlos klaren Himmels.
"Sag bloß, du hast Blut geleckt und willst im nächsten Jahr wieder Ski laufen."
"Nächstes Jahr ist noch weit."
"Das stimmt."
Alix seufzt. Sie denkt an die bevorstehenden Begegnungen mit Frau Talheim und mit Eric. Sie faltet die Landkarte auseinander, um nachzusehen, wie weit es noch ist bis Hohenems. Sie liegen gut in der Zeit.
Als sie ankommen, langt es noch für einen Spaziergang zum Anwesen der Tante.

Alix will gerade das Gartentor öffnen, als eine junge Frau mit Kleinkind und Mülltüte aus dem Haus kommt. Alix lässt das Gartentor los, als hätte sie sich verbrannt. Da sind fremde Leute im Haus ihrer Tante. Natürlich. Sie hätte sich denken können, dass das Haus neu vermietet ist.
"Willst du mit der Frau reden?"
"Wozu?"
"Und jetzt?"
Alix zieht ihren Mantel enger und geht in Richtung Kirche.
"Hast du eigentlich inzwischen rausgefunden, ob die Villa früher mal Juden gehört hat?", fragt Didi.
Alix schüttelt den Kopf.
"Ich erb sie ja sowieso nicht mehr."
Sie bleibt vor dem Kriegerdenkmal stehen. Auf einem Sarkophag liegt ein behelmter, steinerner Soldat. Darüber die Inschrift: BLUTSAAT DER VÖLKER - DOCH GÄRTEN KOMMENDEN LEBENS IN GOTT.
"Ist das jetzt vom ersten oder vom zweiten Weltkrieg?"
Didi zuckt desinteressiert mit den Schultern, und schaut auf die Uhr.
"Immer noch zu früh für Frau Talheim. Wenn Du willst, können wir noch zum Grab."
"Gut", sagt Alix und geht voran.

"Wir hätten Blumen mitbringen sollen", meint sie angesichts der winterlich kargen Grabstätte.
"Kannst ja einen Stein hinlegen."
"Bist du verrückt! Das ist ein katholischer Friedhof."
"Na und?"
"Das mit den Steinen ist ein jüdischer Brauch."
"Na und?" wiederholt er.
Alix sieht Didi entgeistert an. Manchmal findet sie, dass er die Dinge zu leicht nimmt. Wie zur Bestätigung lacht Didi nun kurz auf.
"Hast du das gesehen? Das nenne ich mal Planungssicherheit! Eric steht auch schon da, samt Geburtsdatum, nur der Tod fehlt noch."
Jetzt muss sich auch Alix ein Lachen verkneifen.
"Komm, bloß weg hier."

Pünktlich um halb elf klingeln sie bei Frau Talheim. Sie hören ein Schlurfen hinter der Tür. Der Ehemann macht auf. Er trägt Pantoffeln und hat einen Schlüssel in der Hand.
"Guten Tag", sagt Alix. "Wir sind mit Ihrer Frau verabredet."
Der untersetzte Mann sieht an Alix vorbei, fixiert irgendetwas in der Ferne und räuspert sich.
"Ja, ich weiß. Meine Frau musste leider weg. Sie finden die Sachen im Schuppen hinterm Haus."
"Ja, aber..."

"Eine dringende Familienangelegenheit. Kurzfristig."
Er drückt Alix den Schlüssel in die Hand.
"Ich kann nicht mitkommen, ich hab es mit dem Kreuz."
Er fasst sich in den Rücken, um seine Aussage zu untermauern, und macht Anstalten, die Haustür wieder zu schließen. Doch so leicht will Alix sich nicht abspeisen lassen.
"Ich hab noch ein paar Fragen. Vielleicht können Sie mir sagen, wie die Versteigerung..."
Weiter kommt sie nicht. Herr Talheim unterbricht sie.
"Das hat alles meine Frau gemacht. Ich weiß da gar nichts! Das müssen Sie alles mit ihr besprechen. Der Schuppen ist rechts ums Haus."
Er weist mit der Hand den Weg. "Sie können den Schlüssel in den Briefkasten werfen, wenn Sie fertig sind. Guten Tag."
Alix kann es nicht fassen. Herr Talheim klappt ihnen die Tür vor der Nase zu.
"Was war das denn?"
"Ein Mann mit einem schlechten Gewissen", sagt Didi und geht schon mal vor. Der Schuppen ist leer bis auf zwei Koffer. Alix öffnet den Ersten und findet Fotoalben verschiedener Größe. Neugierig fängt sie an zu blättern. Doch statt der erhofften Personenfotos sieht sie vorwiegend Naturaufnahmen. Didi schwenkt unter-

dessen den zweiten Koffer, der überraschend leicht ist. Der Inhalt klappert.

"Nicht! Nachher geht da was kaputt!"

Didi setzt den Koffer vorsichtig ab. Er öffnet den Ledergurt, lässt die Schnallen klacken. Dann sehen sie den Inhalt.

"Diarähmchen! Ich fasse es nicht." Didi lacht.

Alix nimmt sie in die Hand und guckt durch das Glas.

"Noch dazu leere!"

Kopfschüttelnd legt sie die Dinger zurück und wendet sich wieder dem ersten Koffer zu.

"Wo sind denn die ganzen Briefe? Und ihre Tagebücher? Ich hab doch extra geschrieben, dass ich die..."

Alix blickt ratlos in dem aufgeräumten Schuppen umher.

"Hat vielleicht Gründe, dass die nicht dabei sind. Immerhin erbst du zwei seidengefütterte Lederkoffer. Welches Kind hat das schon."

"Wenn du mir die Träger besorgst, die es zu Zeiten solcher Koffer noch gab, dann würde ich sie mitnehmen."

Alix stapelt fünf Alben auf ihrem Arm.

"Nimmst Du die restlichen?"

"Wenigstens hat sich das befürchtete Platzproblem in Luft aufgelöst", resümiert Didi, "die paar Dinger gehen ohne Schwierigkeiten in den Kofferraum."

Alix knallt die Schuppentür mit dem Fuß zu und lässt den Schlüssel stecken. Didi grinst.

"Das ist jetzt aber nicht korrekt. Du solltest den Schlüssel in den Briefkasten stecken."
Alix würdigt ihn keiner Antwort.
"Willst du jetzt fahren?"
Sie nickt.
"Auf zu Onkel Eric."

Ab in den Keller

"Ich glaube, wir haben die Abzweigung verpasst."
Didi blickt suchend über die hügelige Landschaft. Felder, Bäume, weit und breit kein Haus.
"Da vorne geht noch ein Weg ab. Wenn da nichts steht, drehen wir um."
Tatsächlich weist an der nächsten Eiche ein dezentes Schild auf die *Residenz Abendruh* hin. Sie folgen dem Weg. Fünfhundert Meter vor dem einstigen Schloss beginnt eine Ulmenallee, hoch wie ein Dom.
"Vornehm geht die Welt zu Grunde, würde mein Vater sagen." Alix dreht eine Ehrenrunde um den Vorplatz.
"Hör mal, was für ein exquisites Geräusch, der Sound von Reifen auf Kies."
"Genau. Für Leute mit Kies."
Sie lachen. Der Gästeparkplatz ist mit gewöhnlichen Lochsteinen belegt. Alix schaltet den Motor aus und bleibt sitzen.
"Sollen wir einfach wieder fahren?"
"Jetzt? Nachdem wir es endlich gefunden haben?"
"Mir ist mulmig."
"Ich bin ja bei dir." Didi steigt aus, geht ums Auto

herum, zieht Alix sanft vom Sitz. "Kein Grund, aufgeregt zu sein."

An der Rezeption werden sie zuvorkommend begrüßt. Im Moment sei Herr Baumöller allerdings beim Mittagessen, sagt die Dame, da wolle sie ihn nur ungern stören.
"Aber vielleicht möchten die Herrschaften in der Zwischenzeit eine kleine Führung durch unser Haus?"
"Ja gern."
"Sie waren noch nicht hier, oder?"
Alix spürt ein schlechtes Gewissen und fühlt sich bemüßigt, darauf hinzuweisen, dass sie leider weit weg wohnen, in Köln."
"Ah, Köln", sagt die Dame und stöckelt vor ihnen her, "eine sehr schöne Stadt."
"Nun ja, schön würde ich nicht gerade sagen. Köln war weitgehend zerstört und ist nach dem Krieg ziemlich holterdipolter wieder aufgebaut worden. Die Architektur ist ein Sammelsurium von..."
"Hier wäre dann das Spielzimmer." Die Dame, die sich nicht wirklich für Köln interessiert, öffnet eine Tür und erklärt: "Karten, Gesellschaftspiele und einmal in der Woche sogar Roulette. - Das ist sehr beliebt bei den Herrschaften." Sie lächelt verschwörerisch, schließt die Tür wieder und geht weiter voran.

"Im Malzimmer finden auch andere kreative Kurse statt, Sticken für die Damen, Holzarbeiten für die Herren, und mehr."
Alix und Didi werfen einen Blick in das leblose Zimmer und folgen der Dame den Gang hinunter.
"Wir bieten unseren Bewohnern auch regelmäßig Busfahrten zu Konzerten und Theateraufführungen an. Der Musikraum für kleinere Konzerte und andere Veranstaltungen befindet sich hier im Haus."
Sie öffnet eine weitere Tür. Auch dieser Raum ist makellos aufgeräumt. Die Stühle stehen in ordentlichen Reihen, und der Flügel ist mit einer maßgeschneiderten Plane bedeckt.
"Dort drüben sind dann die drei Restaurants. Unsere Bewohner können frei zwischen ihnen wählen – natürlich nach vorheriger Anmeldung. Es ist uns wichtig, ein Hotelgefühl zu vermitteln. Ihr Herr Onkel speist übrigens heute im Palmenhaus. Das liebt er besonders, weil es ihn an Afrika erinnert."
Alix reckt den Kopf und versucht, Eric zu entdecken. Doch die Dame komplimentiert sie geschickt außer Sichtweite des Palmenhauses.
"Zum Schwimmbad geht es dann hier entlang."
Im Untergeschoß äußert Alix sich höflich zu den Mosaiken an der Wand.
"Es sind Szenen aus der griechischen Mythologie",

flötet die Dame mit ihrer antrainierten Gute-Laune-Stimme. "Wir haben hier viele gebildete Herrschaften."
Didi befingert unterdessen ein Gerät am Beckenrand.
"Ja, das ist unser Hebekran. Mit dem haben auch unsere Rollstuhlgäste Zugang zum Wasser. Die Temperatur wird konstant auf 28 Grad gehalten. Leider muss ich jetzt zurück zur Rezeption. Darf ich Sie bitten, im Blauen Zimmer zu warten?"
Auf dem Weg zum Blauen Zimmer verspricht sie, dass Herr Baumöller gleich nach dem Essen von dem Besuch benachrichtigt und dann zu ihnen gebracht werde. Die Tür schließt sich.
Didi und Alix sind allein mit den dunkelblauen Vorhängen, die sich schwer über einem blassblauen Teppich stauen. Es ist erschreckend still. Der verglaste Bücherschrank scheint in einen Dornröschenschlaf versunken. Alix fühlt sich unwohl.
"Ist dir auch so heiß?", fragt sie und untersucht, ob sich das Fenster öffnen lässt.
"Verschlossen", sagt sie enttäuscht.
"Hätte mich auch gewundert", kommentiert Didi.
Alix setzt sich auf die Kante des blau-silbern bezogenen Regency-Sofas und hält ihre Hand über die gewienerte Tischplatte. Sie spiegelt sich.
Ein Fahrstuhlgeräusch. Dann hört Alix das gutmütige Lachen einer jungen Frau, sowie das bekannte *anyway anyway* von Eric.

"Ich glaube, er kommt."
Sie steht erwartungsvoll auf.
Die Tür öffnet sich. Der Onkel wird hereingerollt.
Als sein Blick auf Alix trifft, fällt ihm die gute Laune aus dem Gesicht. Er wischt heftig mit der Hand vor seinen Augen hin und her. Doch das, was er sieht, verschwindet nicht. Er starrt Alix an. Sein Adamsapfel hüpft. Er versucht zu schlucken. Und dann beginnt er unkontrolliert zu zittern.
"Herr Baumöller!", ruft die junge Frau. "Ist Ihnen nicht gut?"
Eric zeigt auf Alix und bäumt sich auf. Er zieht die Luft ein. Es macht ein Geräusch wie eine verrostete Fahrradpumpe.
Die Angestellte drückt den Alarmknopf, wendet den Rollstuhl und rennt den Gang entlang, während sie auf Eric einspricht.
"Ganz ruhig, Herr Baumöller, ganz ruhig. Ich habe schon Hilfe angefordert. Gleich wird jemand..."
Sie sind um die nächste Ecke verschwunden.
Alix lässt sich in einen Sessel fallen.
"Was war das denn?"
Diesmal ist es Didi, der das fragt. Und Alix ist diejenige, die mit einem Schulterzucken antwortet.
"Ein voller Erfolg unser Besuch."

Zurück in Köln lässt sich das neue Jahr vielversprechend an. Die Frauenredaktion plant eine neue Lebenshilfesendung. Die Geschichte der Frauen soll mit Darstellern inszeniert werden, damit die Betroffenen anonym bleiben. Eine Aufgabe wie maßgeschneidert für Alix. Ihre Bewerbung wird mit offenen Armen aufgenommen.
Nach diesem Erfolg schafft sie es endlich, im Pflegeheim des Onkels anzurufen und ein Gespräch mit dem behandelnden Arzt von Eric zu vereinbaren. Beim Telefontermin erfährt sie, dass Herr Baumöller nach ihrem Besuch kaum zu bändigen gewesen sei. Man habe ihn sedieren müssen.
"Kann es sein, dass Sie Ihrer Tante ähnlich sehen?", fragt der Arzt.
"Ich glaube schon."
"Nun, das erklärt einiges. Ich vermute, dass er Sie für seine verstorbene Frau gehalten hat. Inzwischen ist er so weit wieder stabil. Aber Zeiten und Orte bringt er immer noch mehr durcheinander als vorher. Daher möchte ich Ihnen von weiteren Besuchen abraten. Die Ähnlichkeit hat unseren Gast aus dem Gleichgewicht gebracht. Eine solche De-Stabilisation möchten wir angesichts des Gesamtzustands von Herrn Baumöller in Zukunft lieber vermeiden. Das verstehen Sie sicher."

Alix versteht es und verspricht, keine weiteren Besuche zu planen. Auch von Anrufen rät der Arzt ihr ab. Gerade Stimmen von Verwandten gleichen Geschlechts seien einander oft sehr ähnlich. Das kennt Alix.
"Ich bin früher am Telefon oft mit meiner Mutter verwechselt worden", bestätigt sie, und gibt sich betroffen über die Kontakteinschränkungen. Sie fragt, ob es möglich sei, dass sie regelmäßig über das Wohlergehen von Herrn Baumöller informiert wird.
Das werde er gerne veranlassen, sagt der Arzt. Und selbstverständlich könne sie sich auch jederzeit selber nach ihm erkundigen, nur der direkte Kontakt sei leider...
"Ja natürlich. Vielen Dank, dass Sie sich Zeit für mich genommen haben."
Alix legt den Hörer auf, krault nachdenklich ihre beiden Katzen und gesteht sich ein, dass sie erleichtert ist. Wenn sie ehrlich ist, hat ihr Eric nie viel bedeutet. Sie kann die Gelegenheiten, bei denen sie sich begegnet sind, an zwei Händen abzählen. Als er auf der Bildfläche erschien, war sie schon erwachsen und sah ihre Tante nur noch selten.
Trotzdem hat sie sich verpflichtet gefühlt, nach ihm zu sehen, nun, wo die Tante es nicht mehr kann. Das ist ihr nun von ärztlicher Seite verboten worden. Eigentlich ein Geschenk des Himmels. Und sie wird bestimmt nicht dauernd im Heim anrufen, nur um sich nach

Erics Befindlichkeit zu erkundigen. Nein, ganz sicher nicht. Stattdessen wird sie das Kapitel Erbe samt Tante Alexandra und Ehemann Nummer zwei aus ihrem Kopf streichen. Wenn Eric stirbt, wird sie es ohnehin von Amts wegen erfahren.
Bis dahin kein müder Gedanke mehr in diese Richtung, befiehlt sie sich. Auf irgendjemandes Tod zu spekulieren, verbietet sich sowieso. Da ist es besser, wenn sie gar nicht mehr an Eric denkt. Soll er seine Mahlzeiten im Palmenhaus genießen, so lange er kann. Sie braucht dieses Geld nicht. Sie verdient selber genug, ganz ohne die bescheuerte Erbschaft. Schließlich gehört sie mit Didi zur bevorzugten Gruppe der *Dinks*, Double Income No Kids. - Na ja, das mit den Kids wird sich hoffentlich ändern, aber auch dann werden sie locker ohne die Erbschaft klar kommen.
"Jeei! - Frei!" ruft sie, springt auf und reckt ihre Faust in die Höhe. Im Flur laufen ihr die Katzen vor die Füße. Alix versucht, auszuweichen, und stößt schmerzhaft an einen Karton. Es ist der mit den Fotoalben der Tante. Alix flucht.
Dann wird ihr klar, dass sie diese Fotos gar nicht mehr sichten will. Weg damit. Ab in den Keller. Sie hat sich lang genug mit der Tante und ihrem Kram herumgeschlagen.
Sie holt Klebeband, verschließt den Karton, beschriftet ihn, und wuchtet ihn die Treppe hinunter. Im Keller

schichtet sie einiges im Schrank um, hievt den Karton hinein und knallt die Tür zu.
Klappe zu - Affe tot.
Zum Abschluss noch mal ein Spruch von Tante Axel. Das ist in Ordnung. Befriedigt streicht sie sich das Haar aus der Stirn.

Zur Erholung gönnt sie sich einen Spaziergang um den Block. Abstand gewinnen. Vor dem Antiquitätengeschäft an der Ecke bleibt sie stehen und betrachtet die Auslage. Lauter Dinge mit einer Geschichte. Aber mit einer, die sie nichts angeht. Das hat durchaus Vorteile. Wenn man alte Sachen kauft, statt erbt, dann kommt nichts Ungebetenes mit um die Ecke.
Die Messinglampe mit dem grünen Glasschirm ist wirklich schön. Didi wollte sie neulich kaufen, aber dann war sie ihm zu teuer. Alix denkt an ihre Einkünfte durch die neue Serie und betritt den Laden. Die Lampe ist das perfekte Geburtstagsgeschenk für Didi.

Leben, Lieben und Erben von Alix geht weiter.

Ausblick auf den nächsten Roman:

Krisenzeit

1989. Alix ist mittlerweile im Fernsehen gut etabliert. Ihr Spielfilm jedoch wartet immer noch auf seine Realisierung. Mit dem Tod von Eric könnte die Erbschaft endlich fließen. Doch bei der Beerdigung taucht eine bislang unbekannte Frau auf und erhebt Anspruch auf das gesamte Erbe. Carl und Alix versöhnen sich und gehen gemeinsam gegen sie vor Gericht.

Unterdessen fällt in Berlin die Mauer. Während DDR und Bundesrepublik zusammengeführt werden, zerfällt die private Welt von Alix. Didi hat eine Nebenfrau,
und nicht nur das...

Eine Winteraffäre.

Roman von Dorothea Neukirchen

Zum Inhalt

Als die Hamburgerin Clare den chinesischen Chi Gong Meister Xu Lin trifft, sprühen die Funken. Es prallen zwei Welten aufeinander: Hier cooles Werbebusiness, dort ein Leben im Zeichen von Wu Wei, dem aus dem Nicht-Tun geborenen Tun. Seiner Abreise folgen heiße Mails. Die Idee eines gemeinsamen Skiurlaubs taucht auf. In der Enge der Ferienwohnung kommen mit der Lust alte Ängste, Konditionierungen und Rollenbilder hoch. Wer darf wann, wie, wo stark oder schwach sein? Das ganze verwirrende male-female-business lässt sie Höhenflüge und Bruchlandungen erleben, Himmel und Hölle...

Sinkflug. Roman von Dorothea Neukirchen

Ihren ersten Roman schrieb Dorothea Neukirchen unter dem Pseudonym Dorothea Fremder. Er wurde 2000 im Fischerverlag veröffentlicht und erschien 2016 ebendort als Reprint mit anderem Cover.

Zum Inhalt

Nach zwanzig Jahren moderner Ehe, Kleinaffären inklusive, nun plötzlich dies: eine ständige Nebenfrau. Was tun?
Soll Carola die stille Dulderin mimen, die alte Opferrolle von Müttern und Großmüttern übernehmen? Sie doch nicht! Also die Flucht nach vorn. Nur, wo ist vorn???
Eine Therapiegruppe ist schließlich auch so etwas wie eine Familie, oder? Carola schlägt Purzelbäume zurück in die Kindheit und nach vorne in verschiedene Affären... Sie befragt ihre Träume und sieht in Computerkatastrophen versteckte Wegweiser. Als auch noch sicher geglaubte Fernsehaufträge platzen, ist erst einmal *Sinkflug* angesagt. Sie hört auf zu rudern und entdeckt ihre Kraft.

Kurzgeschichten von Dorothea Neukirchen

Aus Leserrezensionen

Elegant und federleicht die Sprache und die Haltung zu den Figuren, immer etwas auf Distanz, nicht ohne augenzwinkernden Humor.

Dorothea Neukirchen schafft es in nur einer einzigen Geschichte, Gefühle wie Freude, Überraschung, Mitleid und Melancholie hervorzurufen.

Unterhaltsam und treffsicher die Beziehungen, in die wir über 40-jährigen verstrickt sind.

Drei von Frau Neukirchens Geschichten sprachen mich besonders an: Freiheit?, Blau und Windsbraut. Sie nahmen mich mit in ganz verschiedene Welten. Ich wurde in diese Geschichten regelrecht hineingezogen, konnte mit dem Lesen nicht aufhören, war unter Spannung, mein Gehirn produzierte vielfältige Bilder - so muss gute Literatur sein!

Drei andere Geschichten aus diesem Band erhielten literarische Preise.

Lightning Source UK Ltd.
Milton Keynes UK
UKHW010746280922
409578UK00002B/310